COFIO'R WYLFA

Cofio'r Wylfa

Emlyn Richards

Argraffiad cyntaf: 2021

Rhif Llyfr Safonol Rhyngwladol:
978-1-84527-790-1

Cyhoeddwyd gyda chymorth Cyngor Llyfrau Cymru

Dyluniad y clawr: Eleri Owen
Llun y clawr: Wil Rowlands
Map ar dud. 138-9: Wil Rowlands (un o deulu Caerdegog)
Dymuna Wil gydnabod gwybodaeth drylwyr dau hanesydd lleol da:
John Cadwaladr Jones (John Cafnan) ac Ian Jones (Ian Cestyll).
Diolch hefyd i Elen Wyn Clode am lun Y Galan Ddu ar y clawr cefn.

Cyhoeddwyd gan Wasg Carreg Gwalch,
12 Iard yr Orsaf, Llanrwst, Dyffryn Conwy, Cymru LL26 0EH.
Ffôn: 01492 642031
e-bost: llyfrau@carreg-gwalch.cymru
lle ar y we: www.carreg-gwalch.cymru

Argraffwyd a chyhoeddwyd yng Nghymru

Cyflwynedig er cof am Dora
a phobol Cemaes, ddoe a heddiw

Cynnwys

Rhagymadrodd

Wrth gyflwyno'r nofel, *Gwen Tomos*, mae Daniel Owen yn cyfarch y 'darllenydd' gyda'r geiriau: 'Ddeugain mlynedd yn ôl, a llai, yr oedd cymeriadau fel Robert Wynn Pantybuarth yn gyffredin yng Nghymru. Erbyn hyn, ysywaith, y maent yn brinion, ac yr oedd yn hen bryd i rywun geisio eu *photographio* cyn iddynt fyn'd ar ddifancoll.'

Fu neb mor ddyheuig yn cyflwyno inni'r cymeriadau hyn na Daniel Owen yn ei nofelau gwych. Defnyddiodd ei nofelau mor gelfydd ag unrhyw artist a'i baent neu ffotograffydd a'i gamera i gyflwyno'r cymeriadau, eu cartrefi a'u cymdeithas. Mae ynom bawb rhyw awch ac awydd am ddiogelu pethau rhag newid, mae gynnon ni ofn newid ac ofn colli a ddigwydd ym mhob newid.

Ofnai O.M. Edwards anghofio Llanuwchllyn, bro ei febyd. Cyfeiriodd at ei ofn mewn llythyr i'w gariad: ' ... y peth olaf wnaf ydyw anghofio Llanuwchllyn a pawb sydd yno'n byw.' Onid oes gennym, bawb ohonom, ein 'Llanuwchllyn', y lle hwnnw y carem ei gadw fel yr oedd? Yr oedd awydd O.M. mor angerddol fel y credai na ellid codi'r hen wlad yn ei hôl heb gadw Llanuwchllyn fel yr oedd, cadw Cymru fel yr oedd.

Ond roedd O.M. am gadw pob pentref fel yr oedd, heb newid. Cyfeiria atynt mor ddiddorol yn 'Ardaloedd Cymru' o'r *Cymru* coch. A diolch byth, y mae Cemaes Sir Fôn yn un ohonynt! Ar ei deithiau daeth O.M. i Gemaes a chawn ganddo ddisgrifiad byw o'i ymateb o weld y lle yn dod yn araf i'r golwg:

Draw dros feysydd tawel undonog Môn mae pen mynydd

y Wylfa yn ymgodi uwch y môr. Yno y mae Cemaes, fel hen bentref mewn darlun, ar lan y môr. Wrth gerdded hyd ymyl y clogwyn at eglwys Llanbadrig gallwch weld y pentre yn codi ris uwch ris o lan y dŵr, y bryn tu cefn i'r tai bychain gwynion, ac ar ben y bryn yr hen felin wynt yn estyn ei breichiau yn erbyn yr awyr glir. Bu natur yn garedig wrth Gemaes. Nid yw'r môr yn cael chwyddo ei donnau cryfaf yn ei erbyn; yn hytrach mae fel llyn crwn wedi ei gloi i mewn gan dir, gydag un agoriad drwy ba un, ar ddiwrnod hafaidd, y gellir gweld ar y gorwel fynyddoedd gleision Ynys Manaw. Lle tawel yn edrych ymhell yw Cemaes.

Nid anghofiaf fyth fy ngolwg gyntaf ar y lle wrth ddyfod o Amlwch. Diwrnod mis Mai oedd hi, ac nid oedd dim ond eithin, eithin yn llawn blodau ym mhob man. Yr oedd yr awel yn llwythog o arogl y blodau. Yr oedd gwynt glan y môr i'w deimlo hefyd. Edrychai pob peth fel pe bai gwynt y môr yn eu glanhau. Ac yna, o ben y golwg, dacw'r môr, môr diderfyn. Ni welwch mo Cemaes nes yn ei ymyl, ond acw mae clogwyn y Wylfa a'r felin wynt a melin Mechell ymhellach yn y wlad ...'[1]

Mi gofiaf innau ddod i Gemaes am y tro cyntaf. Yr oedd yn daith mor faith a diddarfod, disgwyl gweld y lle o gylch pob tro. O'r diwedd dyma fo, ac yn gywir fel dywed O.M., welwch chi mo Cemaes 'nes yn ei ymyl'. Cyrraedd mor ddirybudd a'r pentre bach fel pe bai'n cuddio a'i draed yn nŵr y môr. Pentre bach del a glân. Dod yma'n fyfyriwr ar brawf wnes i ac yn ddigon pwysig i gredu 'mi wnaiff yn iawn i mi ddechrau!' Ond rwyf yma o hyd, ers bron i drigain mlynedd. Rwyf yma ers cymaint o amser y

---

[1] *Cymru*, cyf XLI (Gorffennaf 1911), tt. 5-8.

mod i isio cadw Cemaes fel yr oedd a chadw Cymru fel yr oedd: *mae'r oll yn gysegredig*. Mae gan Hywel Teifi Edwards enw i'r salwch, gair newydd sbon – 'pentregarol'. Mi roedd pobol Cemaes wedi bathu gair am y salwch flynyddoedd ynghynt – 'Cemaesitis', a does neb a ŵyr pwy a'i bathodd. Ond yn raddol a distaw y mae newid yn anorfod. Ar ddechrau chwedegau'r ganrif ddiwethaf bu sgytiad cymdeithasol – gwawriodd y chwedegau afieithus yn ollyngdod a rhyddid newydd – fu'r fath newid erioed. Ac er bod Cemaes mor bell, fe gyrhaeddodd yr oes newydd yma. Ond fe'n gorfodwyd i dderbyn newid mwy, newid chwyldroadol mewn amser mor fyr – sôn am godi atomfa ar benrhyn y Wylfa. Mewn dim o dro aeth y sôn yn ffaith. O leoedd yn y byd dewiswyd y llecyn tawel, pellennig hwn i adeiladu atomfa fwya'r byd ar y pryd. Cafodd y Wylfa ystyr newydd, anghofiwyd am y fferm fawr a'r mân dyddynnod, collodd Wylfa Manor ei fri a diflannodd y Galan Ddu, fu'n gartref i gantores fyd-enwog. Serennai'r enw Wylfa mewn llun, llais a phrint bob dydd – pwy nad ymfalchïai? Cyflogid cannoedd o weithwyr o bell ac agos – tyddynwyr lleol, prentisiaid ifanc, crefftwyr arbennig a gweithwyr crwydrol. Meddiannwyd y Penrhyn gan dref fechan brysur, gwbl hunangynhaliol, gyda siop a'i thafarn a dau weinidog, y naill o'r eglwys Babyddol a'r llall o'r eglwysi Protestannaidd, i fugeilio'r praidd.

Chafodd sir Fôn erioed y fath sylw a chafodd yr atomfa pob croeso ac ymunais innau yn y croeso hwnnw. Fe'm penodwyd yn Ysgrifennydd y Caplan Protestannaidd a bûm yn gaplan rhan-amser wedi i dymor y Parch. Arthur Meirion Roberts ddod i ben. Ond gydag amser deuthum yn amheus o ynni niwclear ac o'r atomfeydd a'i cynhyrchai. Fel heddychwr deuthum yn bur amheus o'r berthynas rhwng yr atomfa ag arfau niwclear. Ar y dechrau fe ystyrid trydan fel is-gynnyrch i'r plwtoniwm a ddefnyddid ar gyfer arfau niwclear. Ffactor arall bwysig iawn ynglŷn â'r atomfeydd yw'r gwastraff ymbelydrol a gynhyrchent; hyd yma, does dim ateb boddhaol i'w waredu. Yr unig ateb, i'm tyb i, i broblem gwastraff niwclear yw peidio'i gynhyrchu! Fe gydnebydd cwmni Rolls Royce yn blaen fod angen codi sgiliau niwclear ym Mhrydain er mwyn cynnal a chadw ac adeiladu llongau tanfor sy'n cario taflegryn angheuol niwclear, Trident. Mae'r llongau tanfor yn cael eu gyrru gan dechnoleg niwclear. Digon dweud y creodd fy safbwynt sefyllfa digon anodd: yr oedd cymaint o bobol leol o ardaloedd fy ngofalaeth fel gweinidog yn dibynnu ar yr atomfa am eu bywoliaeth a honno'n fywoliaeth dda iawn. Ond ar y cyfan, bu'r rhelyw o'm haelodau'n garedig iawn ataf. Er i mi gredu mai'r ateb fyddo symud i ofalaeth arall, mi fethais a dianc rhag hon!

Ar ddiwedd wythdegau'r ganrif ddiwethaf daeth cais gan y Bwrdd Trydan Canolog i godi atomfa arall ym Môn – Wylfa B, ac ail-fedyddiwyd yn Wylfa Newydd. Yr oedd yr atomfa newydd yn gofyn am gryn dipyn mwy o diriogaeth i'w gwely na'r atomfa gyntaf; oddeutu 2.33 cilometr sgwâr. Prynwyd tiroedd, yn ffermydd, tyddynnod ac anheddau lawer. Bu Horizon, is-gwmni i Hitachi, yn ddyfal yn sicrhau'r tiroedd a'r eiddo ar gyfer Wylfa Newydd. Dymchwelwyd wyth o anheddau ac wyth o dyddynnod ac, yn ychwanegol at hyn, yr oedd tair o ffermydd a dau dŷ annedd yn debyg o gael eu dymchwel. Darn o wlad heb drigfannau, llwybr a hen ffordd troliau yn arwain i unman a distawrwydd lle y bu bywyd. Digwyddodd y cyfan cyn rhoi cais cynllunio i fewn. Hyd at ddiwedd y flwyddyn 2018 yr oedd y prosiect yn mynd rhagddo'n ddigon hwylus. Ond ar y 17eg o

Ionawr 2019, daeth cyhoeddiad fod y gwaith i'w atal dros dro a wyddai neb i sicrwydd am ba hyd. Methodd Hitachi sicrhau buddsoddiadau digonol i wynebu'r fath gost. Os collwyd y Wylfa Newydd dros dro, fe gollwyd y tyddynnod a'r cartrefi am byth. Pwy na theimlai, fel Daniel Owen gynt, ei bod hi'n hen bryd i rywrai eu 'photographio' cyn iddynt fynd ar ddifancoll.

Pennod 1

Y Wylfa Erstalwm

Mae yna rywbeth yn ddigon mympwyol mewn cychwyn stori neu hanes – 'deuparth gwaith yw ei ddechrau', meddai'r hen ddihareb. Am wn i nad yw *erstalwm* cystal allwedd â'r un. Rwy'n cofio fel y bydde Miss Jones titsiar plant bach yn plygu dros ei desg uchel yn Ysgol Sarn Meillteyrn yn Llŷn erstalwm, gyda'r geiriau – '*un tro erstalwm*'. Tri gair bach a fyddai yn ennill sylw pawb ohonom yn llwyr. Ac yng nghwmni'r gair yna yr awn i olrhain hanes y Wylfa, y llecyn prydferthaf o gylch glennydd Môn. Cyfyd mynydd y Wylfa ei ben uwch y gorwel fel pe'n gwarchod yr Ynys gyda pentre Cemaes yn swatio wrth ei draed – un o bentrefi dela Môn. Fe'n hysbysir yn neupen y pentra, o gyfeiriad Amlwch a Chaergybi, a'r arwyddbost mawr: '*Y Pentre mwyaf gogleddol yng Nghymru*'. A dyna leoli'r Wylfa, ymhen draw un Sir Fôn.

Y mae pob codiad tir yn amlwg ar wastadeddau Ynys Môn ac fe'i gelwid yn fynyddoedd. Dyna debyg ystyr yr enw – 'Wylfa' – *lle i wylio ohono, gwyldwr.* Cyfeiriad at y bryncyn a elwir yn '*fynydd y Wylfa*'. Y mae gan John Evans Llanymynech yn ei fap o Gymru (1795) dri enw ar y Wylfa – *Rhiwyrwylfa Point, Yrwylfa Bay* a *Rhiwyrwylfawen*. Y mae'r rhagddodiad, *rhiw* yn golygu 'allt' neu 'fryn'. Yn ddiddorol iawn y mae pob cilfach yn yr ardal yn hawlio'r enw *Wylfa*: Trwyn y Wylfa; Penrhyn y Wylfa; Mynydd y Wylfa a Phorth y Wylfa. Tybed nad oes fwy o ystyr i'r enw nag a wyddom? A oedd yma *gaer* i wylio ac i warchod? Ond does dim i awgrymu hynny. Does yna ddim tystiolaeth am unrhyw weithgaredd cyn-hanes yma ychwaith.

Bodlonwn ar gymorth adroddiadau *Trethi-tir, papurau John Elias a Mary Broadhead, Llawysgrifau Esgob* a *dyddiaduron William Bwcle y Brynddu Llanfechell.* Aiff y dogfennau hyn â ni yn ôl i ganol y ddeunawfed ganrif. Mae'n amlwg mai fferm fawr o gant a thrigain erw oedd y Wylfa gyda mân dyddynnod o'i chylch bryd hynny. Yr oedd yma dŷ fferm ac adeiladau fferm o gryn faint gyda'r tyddynnod yn agos atynt. Yn oes y carnau a'r esgid ffurfient gymdogaeth glos yn bentre bychan heb ysgol nag eglwys. Llafurient drwy'i gilydd ar ryw grawen o dir digon caregog yn sŵn y môr. Roedd y patrwm hwn o amaethu yn nodweddiadol o'r cyfnod, diwedd y 18g a dechrau'r 19g. Yr oedd cynnydd yn y boblogaeth yn galw am fwy o gynnyrch. Byddent yn rhannu tiroedd y ffermydd mawr a'i hisosod gan y prydleswr ac yna adeiladu bythynnod yn agos at ei gilydd ar dir y fferm neu droi rhai o adeiladau'r fferm fawr yn anheddau. Digwyddai hyn yn aml ar farwolaeth y ffarmwr, yna rhannu'r tiroedd i'r plant yn fân ddaliadau. Yr oedd y system hon yn boblogaidd iawn yn y cyfnod dan sylw – *system gyfundrefnol* y'i gelwid. Adeiladent dri neu bedwar o fythynnod yn agos at ei gilydd o gylch y tŷ fferm ar gyfer teuluoedd y tirfeddiannwr. Yr oedd y system yma yn debyg iawn i ffermio mewn partneriaeth a oedd yn boblogaidd iawn yn Sir Fôn yn y cyfnod yma.[1] Fel y gallwn ddisgwyl rhyw ffermio digon blêr oedd ffermio mewn partneriaeth, yn naturiol byddent yn anghytuno ac yn ffraeo'n barhaus.

Mae'n amlwg y bu'r system hon o amaethu yn fferm y Wylfa fel y cofnoda William Williams, perchennog y Wylfa yn ei ewyllys 1851, mai ef a ailadeiladodd y Wylfa Wen ac mai ef oedd

---

[1] C.H.N.M. 1995, tud 96

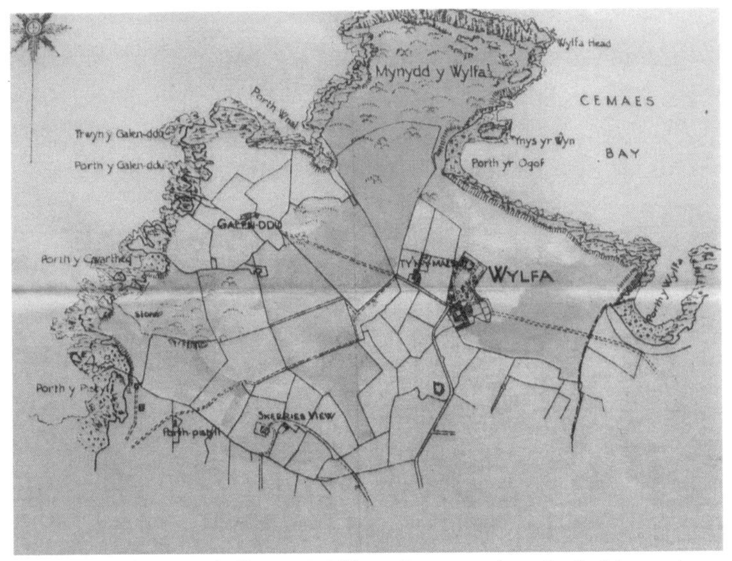

Map o diriogaeth fferm y Wylfa: 160 erw gyda mân dyddynnod

perchennog y Wylfa Wen.[2] Fe gyfeiria hefyd at y Wylfa Goch a chawn gyfeiriad at Wylfa Isa mewn Map O.S. Bythynnod a rannwyd o diroedd y Wylfa oedd y rhain ar gyfer y teuluoedd ac eraill. Fe adeiladwyd llawer o'r bythynnod hyn o ddefnyddiau gwael o rwbel a mwd gan amlaf a'u toi â gwellt neu frwyn ac o ganlyniad doedd yna ddim oes hir iddynt – 'diflanasant fel pe na buasent'. Nid rhyfedd nad oes gennym lawer o gyfrif o'r tyddynnod hyn, lle oedd rhai ohonynt o amgenach adeiladaeth a'u bod wedi goroesi hyd heddiw – Tynymaes, Cwt, Skerries View, Simdde-wen Penygroes a Galan Ddu. Gresyn na wyddom beth o hanes y gymuned hon a fu'n amaethu ar benrhyn y Wylfa erstalwm.

Y Wylfa oedd y brif fferm, yn naturiol, ar y safle ac o'i chwmpas hi y casglwn ychydig hanes am fywyd ar y llecyn hwn

---

[2] Llawysgrifau Llwydiarth Esgob

o ganol y 18g. Mi fydde perchennog fferm o faint y Wylfa yn gymeriad o bwys yn y gymdeithas, yn llawer pwysicach na'r tyddynwyr – a oedd yn byw yn eu plith. Yr oedd un o'r enw William Hughes yn berchennog y Wylfa ar ddechrau'r 18g a'i fod ef a'i fab Richard Williams yn ffermio'r Wylfa. Yn ôl dyddiaduron William Bwcle Brynddu yr oedd William Hughes y Wylfa yn ffigwr pwysig yn y gymdeithas ac yn troi ymhlith y byddigion. Fe gofnoda William Bwcle hanesyn o bwys yn y gymdogaeth ar Ebrill 16eg, 1734 – gornest bêl-droed rhwng deuddeg o ddynion Llanbadrig a deuddeg o ddynion Llanfair-yng-Nghornwy a Llanrhwydrus. Dau dîm amlwg y dydd, mae'n debyg. Casglwn oddi wrth enw'r maes – **Maes y Cleifion** – ei bod hi'n fwy o ymladdfa nag o gêm ffwtbol! Maes yn Nhyddyn Ronw, ym mhlwyf Llanfechell yn agos i'r Wylfa, oedd 'Maes y Cleifion'. Yr oedd enw'r maes yn ddigon o dorcalon i'r cryfaf. Ond fe dystiodd y gwylwyr, gryn bum cant ohonynt, na welsent erioed y fath ddewrder, medrusrwydd na phenderfyniad ar faes erioed. Mae'n siŵr fod tyddynwyr y Wylfa yn rhan amlwg o'r pum cant a wyliai, yr oeddynt o fewn lled cae i'r maes enwog. Doedd y reffari ddim wedi ei eni yn yr oes honno a pha obaith fydde ganddo yn ei drowsus byr yn dawnsio ymhlith y cewri hyn. Yn ôl y dyddiadur buont yn ymlafnio am bron i bedair awr ond dim arwydd fod yr un tîm am ennill. Ond pwy oedd i dorri'r ddadl? Roedd cicio o'r sbotyn yn llawer rhy ddiniwed i benderfynu'r fath ornest. Terfynwyd y gêm a daeth y ddau dîm at ei gilydd i gysuro'i gilydd ac i gael eu cysuro gan y gwylwyr a chawsant gwpaneidiau o gwrw cartra cryf i leddfu'r syched enbyd. Yr oedd rhaid cyhoeddi'n swyddogol ganlyniad y gêm ac nid unrhyw Ddic, Twm a Harri gai wneud hynny. Yr oedd yna bum bonheddwr cyfrifol a phwysig i droi atynt, y nhw oedd wedi trefnu'r gêm yn y lle cyntaf. Byddai barn y pum bonheddwr yn derfynol ar unrhyw fater boed lys barn neu fân faterion eraill. Bu'r pump yn gwylio'r gêm gofiadwy hon a dod i benderfyniad mai gornest gyfartal oedd hi er boddhad y dyrfa ac er mwyn heddwch! Pwy oedd y pump gŵr hyn tybed? – pobol leol y pump – Sgweier y Brynddu – William Bwcle; person y plwyf – Y Parchedig Richard Bwcle Llanfechell; David Williams, Bodelwyn, Llanfechell; Owen Lloyd Rhosbeirio; a William Hughes y Wylfa. Dyna enw William Hughes ymhlith pwysigion y gymdogaeth ac yn un o Uchelwyr yr ardal a'i air a'i farn yn derfynol ar unrhyw fater gan gynnwys gêm ffwtbol!

Ym mhen y tridiau wedi'r ornest cofnoda Sgweier y Brynddu yn ei ddyddiadur fod y Sesiwn ym Miwraris drannoeth ac fel un o'r Ynadon byddai raid iddo fynd yno. Yn ddiddorol iawn y mae'n enwi'r Ynadon a eisteddai'r diwrnod hwnnw Ebrill 19eg, 1734 i Ysgweier, William Bodwel o Madryn, John Owen Presaeddfed, Thomas Rowlands y Caerau, John Griffith y Garreglwyd, Hugh Hughes Plas Coch a chawn enw William Hughes y Wylfa ymhlith yr Ynadon hyn fel tirfeddiannwr bychan.

Y mae cofnod diddorol eto yn y dyddiadur am anghydfod a gododd ynglŷn â'r ffordd i Felin Gafnan. Yr oedd y felin hon yn ffinio â fferm y Wylfa. Yr oedd ffordd y felin yn un o ffyrdd pwysicaf cefn gwlad erstalwm. Yr oedd y felin mor bwysig am borthiant anifail a bara beunyddiol i ddyn. Byddai rhywun yn wastad efo'i bwn neu ei sachaid o rawn ar y ffordd i'r felin. Ar Fai 17eg, 1740 fe alwodd William Lewis Llys Dulas yn y Brynddu i ofyn i William Bwcle ddod efo fo i'r Wylfa i gyfarfod â John Griffith y Garreglwyd i drafod achos ffordd Felin Gafnan. Rhoes groeso cynnes i bump o'r Ynadon ar aelwyd y Wylfa i drafod yr anghydfod – John Griffith y Garreglwyd, Hughes

Hughes Plas Coch, Thomas Rowland Caerau a Hugh Owen Ysbylltir. Gan fod William Hughes yn adnabod yr ardal a'r felin mor dda, penderfynodd yr Ynadon dderbyn dedfryd William Hughes ar yr anghydfod, prawf ei fod yn gymeriad y perchid ei farn a'i air. Er ei safle arbennig yn y gymdeithas byddai William Bwcle yn troi a throsi a chydfyw ymhlith ei denantiaid tlawd, gan eu galw a'u cyfarch â glasenwau digon od. Fe gofnoda iddo alw yng nghartref Wil yr Angau a mwynhau cwpanaid o gwrw a fragwyd gan Wil. Y mae pob lle i gredu y byddai William Hughes y Wylfa yntau yn cydfyw yn agos at y tyddynwyr a oedd yn ffermio'r tyddynnod o gylch y Wylfa.

Cyn diwedd y 18g yr oedd un o'r enw William Williams yn berchen y Wylfa ac yn ei ffermio, dichon ei fod o deulu William Hughes ei ragflaenydd. Yn ôl ei ewyllys yn 1751 yr oedd ganddo naw o blant, dau fab a saith o ferched. Yr oedd yn ddyn eitha' cyfoethog gan iddo adael symiau sylweddol o arian i'r plant, symiau o gymaint â phedwar cant o bunnoedd yr un. Ef hefyd oedd berchen y tyddynnod o gylch y Wylfa – Wylfa Wen, Wylfa Newydd a Wylfa Goch. Tybed ai ffordd o rannu ei eiddo â'r plant oedd y tyddynnod hyn, does dim sôn amdanynt ym Map OS 1889.

Erbyn dechrau chwedegau'r 19g yr oedd Owen Williams ac Elizabeth ei briod yn byw ac yn ffermio'r Wylfa. Mae lle i gredu fod Owen yn un o dylwyth William Williams. Yr oedd iddynt ddau o blant – Mary Ann a John gyda dwy forwyn a llaethlanc. Daeth y Wylfa yn fferm laeth gyda llaethferch a llaethlanc a llaethdy. Tybed a werthid y llefrith yng Nghemaes? Mi fyddai'n ddiddorol gwybod am ddull dosbarthu'r llefrith? Bodlonwn ar wybod mai Catherine Hughes oedd y laethferch ac mai William Williams, llanc pymtheg oed oedd y llaethlanc.

Yr oedd mwy i gymdogaeth y Wylfa na ffermwr y Wylfa a'i deulu a'r teulu estynedig yn y tri thyddyn gerllaw – Y Wylfa Wen, Wylfa Goch a'r Wylfa Newydd. Erbyn canol y 19g yr oedd y tyddynnod hyn wedi dadfeilio gan mai defnyddiau gwael oedd eu hadeiladaeth a thros dro y'i bwriadwyd. Aeth yr ychydig dir a berthynai iddynt yn rhan o dyddynnod eraill ar eu terfyn. Y mae gryn wyth tyddyn yn ffurfio pentrefyn o gylch fferm y Wylfa a oedd yn uned gymdogol. Yr oedd saernïaeth y tyddynnod hyn o ddefnyddiau amgenach na'r tyddynnod dros dro, mae rhan fwyaf ohonynt yn aros hyd heddiw. Y mae hi'n werth talu sylw i'r tyddynnod hyn a chyfarfod y tyddynwyr a'u teuluoedd.

Tyddyn o ddeuddeg erw oedd Cwt ac ar un amser yn eiddo i William Williams Y Wylfa. Cyfeiria William Bwcle'r Brynddu at William Griffith Cwt fel cyd-berchen y llong Cloxan a hwyliai i'r Iwerddon a byddai Gabriel Jones o Lanbadrig ac yntau yn ei chapteinio yn eu tro. Erbyn Cyfrifiad 1861 yr oedd un o'r enw Richard Jones ac Elizabeth ei wraig yn byw ac yn ffermio'r tyddyn o ddeuddeng erw ac yn magu chwech o blant. Mae'n rhaid ei bod hi'n fyw reit galed arnynt. Yn ôl map Ordnans 1889 does ond un adeilad bychan ar y safle. Erbyn 1924 fe adeiladwyd tŷ o gryn faint ar dir Cwt o'r enw **Skerries View** a thebyg yw i dir a safle Cwt fynd i berthyn i'r tŷ newydd.

Led cae o Skerries View y mae **Cestyll**, tyddyn o un erw ar ddeg – wedi ei ffurfio, yn ôl system y cyfnod o dir Cafnan, fferm fawr ar y terfyn a oedd yn perthyn i Stad y Garreglwyd. Tua chanol y 19g yr oedd John Owen a'i wraig Jane a thri phlentyn yn byw yn y Cestyll. Ond bu cryn newid yno erbyn wythdegau'r ganrif. Fe adeiladwyd tŷ sgwarog helaeth ar y safle gyda gardd gaerog ynghyd â gerddi addurnol. Does air o gyfeiriad na sôn am berchennog mae'n amlwg nad oedd yn byw yno. Erbyn dechrau'r 20g yr oedd Richard Roberts a'i wraig fel gofalwyr preifat i ymorol am y gerddi a'r tŷ o un ystafell ar ddeg o faint.

Yr oedd **Tai Hirion** yn dyddyn a derfynai â'r Wylfa ac yn rhan o'r gymdogaeth. Yn ôl Cyfrifiad 1861 yr oedd William Owen ac Ann ei wraig yn ffermio'r tyddyn o un acer ar bymtheg. Yn ddiddorol iawn yr oedd tyddyn o'i faint yn cyflogi gwas a morwyn. Yn ôl map OS 1889 yr oedd yno dŷ fferm nodweddiadol o dai ffermydd Gogledd Môn y cyfnod gyda ffenestri bychan trionglog a rhes o adeiladau'r fferm yn cydio wrth y tŷ.

Ar y ffordd i Dai Hirion y saif **Simdde-wen**, yn ôl map 1842 tŷ bychan ydoedd ond erbyn 1889 yr oedd yno dŷ mawr sgwarog ar safle coediog gyda rhes o adeiladau. Cyfeirir ato yn ewyllys William Hughes y Wylfa fel Pen y Graig. Tua diwedd 19g yr oedd boneddiges ieuanc yn byw yn y Simdde-wen – Margaret Griffith gyda morwyn. Fe adeiladwyd porthdy unllawr yn 1900, cysylltiol â'r tŷ, ar ben y ffordd sy'n arwain o ffordd y Wylfa yn agos at fwthyn bach – **Cae'r Brenin**. Gresyn, fe ddymchwelwyd y bwthyn bach, 'a'i le nid edwyn mohono mwyach' ers gryn amser.

Y mae dau dyddyn o gryn faint oboptu'r ffordd sy'n cyrraedd i fferm y Wylfa. Tŷ Croes yw'r agosaf yn ffinio bron ag iard fferm y Wylfa, tyddyn o chwe acer ar hugain. Catherine Jones gweddw ddeg a thrigain oed a'i merch Ellen a ffermiai yno yn 1861. Er bod **Tŷ Croes** yn fferm fechan o ran maint eto bwthyn bychan ac ychydig o adeiladau a geid yno, dichon fod y fam yn rhentu'r tir at ei bywoliaeth.

Saif **Tŷ'n y Maes** i'r gorllewin o iard fferm y Wylfa. Dengys Map OS 1889 ddwy res o adeiladau yn gyfochrog gyda padoc

Skerries View

Tai allan Tai Hirion

Tŷ Croes

bychan caeedig fel gardd neu berllan. John Hughes a Mary ei wraig a ffermiai'r tyddyn o ugain acer tua chanol 19g. Yr oedd iddynt chwech o blant gyda dau o'r meibion yn ffermio gyda'u tad.

Dyna'r gymdogaeth o dyddynnod a oedd o gylch fferm y Wylfa yn ffurfio'n bentrefyn erstalwm. Yno yr oeddynt yn crafu byw ar dir caregog a digysgod – bywyd digon caled a thlawd. Doedd yno na siop, capel nag eglwys ond fe gyfrennid at eu holl reidiau yng Nghemaes, filltir i lawr yr allt. Yr oedd Cemaes yn nodedig am eu groseriaid, pobyddion a bwtsieriaid, doedd dim rhaid symud gam o Gemaes! Yn ddiddorol iawn yr oedd y tyddynwyr hyn i gyd yn aelodau gyda'r Methodistiaid yng Nghapel Bethesda, Cemaes yn ôl Adroddiadau'r Eglwys. Pwy'n well i fugeilio ffermwyr a thyddynwyr na'r 'ffarmwr bregethwr', Y Parch. John Roberts, Tai Hen, Rhosbeirio.

Pennod 2

Ail Gartrefi

Yr oedd y bedwaredd ganrif ar bymtheg yn gyfnod cyffrous ac yn llawn cyfnewidiadau ynghyd â datblygiadau diwydiannol. Codwyd Pont y Borth (1826) gan agor y drws i Fôn yn lletach fyth ac estynnwyd y rheilffyrdd i gyrraedd lleoedd digon anhygyrch. Bu'r datblygiadau hyn yn fodd i arddangos cefn gwlad Cymru a Sir Fôn yn arbennig. Daeth yn ffasiwn i ddosbarth cefnog, o ddiwydianwyr gan mwyaf, i gael ail gartrefi yn gyfle i encilio i dawelwch Cefn Gwlad. Yr oedd penrhyn y Wylfa yn atyniad poblogaidd erbyn diwedd y ganrif. Datblygwyd bythynnod a thyddynnod bychan yn dai mawr heirdd fel ail gartrefi. Daeth cantores enwog o'r enw Rosina Buckman i Loegr o Seland Newydd yn 1898. Prynodd **Galan Ddu** yn y 1930au ac adeiladu tŷ hardd. Yn yr un modd y bu i Violet Vivian ddatblygu y tŷ a'r gerddi yn **Cestyll**. Adeiladodd David Hughes, adeiladydd enwog o Lerpwl, dŷ mawr iawn – **Wylfa Manor** ar fryncyn amlwg ar y penrhyn. Y mae sawl enghraifft arall ar benrhyn y Wylfa o dai mawr sgwarog Fictoraidd a ddatblygwyd – **Simdde-wen, Tan-yr-Allt, Y Firs** a **Nant-y-tormon**. Fe dorrwyd ar heddwch tyddynwyr y Wylfa gyda dyfodiad yr estron cefnog hwn, fu'r fath newid erioed.

Agorwyd pennod newydd yn hanes y Wylfa ac mi fyddo'n werth rhoi sylw arbennig i dri o'r ailgartrefwyr hyn:

(a) David Hughes, Wylfa Manor

Yn 1873 fe werthwyd fferm y Wylfa ac nid i ffermwr ond i

Wylfa Manor

ddiwydiannwr cefnog o Lerpwl. Fferm y Wylfa oedd canolbwynt y gymdogaeth gyda'r mân dyddynnod o'i chylch. Derbyniodd Owen Williams y Wylfa denantiaeth y Bwlch, fferm o bedair ugain erw ar stad y Garreg Lwyd ym mhlwyf Llanfechell. David Hughes brynodd y Wylfa, un o brif adeiladwyr dinas Lerpwl – y llanc lleol a wnaeth ei ffortiwn yn y ddinas a oedd yn llifo o laeth a mêl. Dilyn y ffasiwn yr oedd yntau ac am gael ail gartref ym mro ei febyd, fe'i ganed a'i fagu yng Nghemaes yn fab i David ac Elin Hughes, Tŷ Capel, Bethesda. Rhoes ei rieni iddo ef a Thomas ei frawd yr addysg orau a allent ei fforddio ar gyflog o naw swllt yr wythnos. Fe'i magwyd gan rieni rhyfeddol o ddarbodus a fu'n batrwm i'w fywyd a chyfrinach ei lwyddiant. Fe gedwid ysgol gan hen soldiwr ar y sgwâr yng Nghemaes bryd hynny ac yno y bu cychwyn ysgol i David a Thomas ei frawd. Yna bu'r ddau frawd mewn Ysgol Genedlaethol yn Llanfechell a gedwid gan un o'r

Adeiladau'r fferm yn Wylfa Manor

enw William Owen. Yr oedd Thomas Lewis eu cefnder, mab Tyddyngyrfor, Cemaes yno yr un pryd, bu ef yn Aelod Seneddol dros Sir Fôn. Mae'n amlwg fod y naw swllt cyflog fel y blawd yng nghelwrn y wraig honno Gareffta! Yr oedd David yn awyddus i brentisiaeth fel saer coed a chafodd gefnogaeth ei rieni a phrentisiaeth wrth fainc John Lewis yn Llanfechell – saer ac athro gwych a brentisiodd genedlaethau o fechgyn ifanc a'i cymhwyso'n grefftwyr da. Cwta ddwy flynedd fu prentisiaeth David Hughes gan gymaint ei awydd i ennill cyflog ac i fentro fel llaweroedd eraill i Lerpwl.

Gwireddwyd ei freuddwyd a chyda hanner coron yn ei boced mentrodd ar y llong hwyliau fechan a hwyliai'n gyson o Gemaes i Lerpwl. Ar droad y llanw symudodd yn araf. Bu dridiau ar ei fordaith yn llawn pryder a hiraeth. Cyrhaeddodd y ddinas a chafodd waith gydag adeiladydd o Gymro am gyflog bychan iawn, rhy brin i dalu am ymborth a llety. Doedd ganddo ond ei grefft a'i gymeriad ond mi ymdrechodd yn lew a dewr mewn amser ac allan o amser, llwyddodd i gasglu cymaint â phedwar ugain punt, a oedd yn swm sylweddol. Canlyniad ei gynildeb, ei onestrwydd a'i ddiwydrwydd oedd y llwyddiant yma. Gyda'r cyfalaf yma mi fentrodd ar ei liwt ei hun fel adeiladydd. Daeth yn un o brif adeiladwyr y ddinas ac yn berchen rhai cannoedd o dai a nifer o ystadau enfawr. Cychwynnodd adeiladu ar y safle rhwng dociau'r Gogledd â Ffordd Stanley a buan iawn yr estynnodd ei diriogaeth draw i Everton. Bu iddo ef ac Owen Elias adeiladu cannoedd lawer o dai yn yr ardal yma. Un o wŷr Môn oedd Owen Elias hefyd a aned mewn ffermdy o'r enw Creigiau ym Mhlwyf Llanbadrig. Llwyddodd yntau fel adeiladydd a daeth yn ŵr cefnog iawn. Nodwedd nodedig yn natblygiad Lerpwl fu'r Cymry a ddeuai'n gyson o Ogledd Cymru ac a fu'n gweithio i'r adeiladwyr hyn. Nid rhyfedd fod cynifer o deuluoedd Cymreig yng Nghylch Anfield, Bootle ac Everton ac yno y ceid gymaint o Gapelau Cymraeg. Bu dylanwad David Hughes yn amlwg ddigon yn sefydlu ac yn sicrhau lleoedd o addoliad i'w gyd-Gymry a oedd ar restr ei weithwyr. Adeiladodd ar ei draul ei hun Ystafell Genhadol yn Stryd Walmsey ac yna Capel Stryd Cranmer. Cryfhaodd yr achos i'r fath raddau fel y bu raid adeiladu capel llawer mwy – Anfield Road, un o'r eglwysi mwyaf llwyddiannus yn Lerpwl.

Doedd David Hughes ddim yn fodlon ar adeiladu tai a siopau, mentrodd adeiladu stordai enfawr ar y dociau a chan ei fod yn ddigon cefnog erbyn hyn llwyddodd i'w cadw yn ei feddiant a chael rhent sylweddol amdanynt i storio cotwm ac ydau. Bu'r galw am y fath ddefnyddiau i'w waith yn adeiladu ar raddfa mor uchel yn ei arwain i sefydlu ei waith busnes ei hun –

Tu mewn y Wylfa Manor

arwydd o lwyddiant eithriadol. Ac yntau yn anterth ei lwyddiant daeth yn ddirwasgiad, y trymaf yn yr hanner canrif ddiwethaf. Cyfeiriwyd at 1877 ac 1878 fel 'blynyddoedd y dirwasgiad mawr'. Profodd y dirwasgiad yma yn llethol i'r diwydiant adeiladu ac aeth sawl adeiladydd dan y don. Yr oedd gan David Hughes naw deg o stordai ar y pryd a rheini, mae'n debyg, a barodd iddo ddod drwy'r fath ddirwasgiad yn llwyddiannus. O ganlyniad iddo ddod drwy'r dirwasgiad daeth yn un o brif adeiladwyr y ddinas ac yn ddyn cyfoethog iawn. Yn ôl *Y Clorianydd* – Chwefror 22ain, 1966 bu i David Hughes ac Ellen ei briod symud o Dŷ Capel Bethesda pan oedd David Hughes y mab yn blentyn bychan i Nant-y-Plas – tyddyn bychan ar bwys Pentre'r Gof. Ond yn ôl tystiolaeth y teulu, David y mab a brynodd y tyddyn iddynt pan enillodd gyfoeth yn Lerpwl.

Ond, er bod ei fywyd mor llawn a phrysur yn ei waith, eto ni fu'n rhwystr iddo gyfrannu'n helaeth i fywyd cymdeithasol a chrefyddol Lerpwl. Cymerai ddiddordeb ym mywyd ac achosion dinesig. Bu'n ymgeisydd dros y Rhyddfrydwyr ar y Cyngor Tref ac fe'i dewiswyd yn Ustus Heddwch yn Lerpwl a Sir Fôn ac yn 1886 ef oedd Uchelsiryf Môn. Fe lanwodd swyddi pwysig ac anrhydeddus mewn byd ac eglwys.

Ond Crefydd a Chyfundeb y Methodistiaid a gafodd ei sylw a'i ymroad pennaf. Bu'n flaenor ymroddedig yng Nghapel Anfield Road yn Lerpwl ac yn 1876 estynnodd Eglwys Bethesda Cemaes wahoddiad iddo weithredu fel blaenor yno hefyd pan fyddai yn ei ail gartref yn y Wylfa. Fe gyfrannodd yn rhyfeddol o hael i'r Genhadaeth Dramor – ef oedd y Trysorydd Cyffredinol gyda'r Methodistiaid ac fe'i dyrchafwyd yn aelod am ei oes ar y Pwyllgor. Cyfrannodd £500 tuag at y golled achoswyd gan ddaeargryn yn Khasia; £350 tuag at y

Genhadaeth Gartref a £1,500 tuag at Gasgliad y Ganrif. Fe allesid enwi llu o achosion eraill teilwng a da y cyfrannodd iddynt. Ond y rhodd fwyaf nodedig o'i eiddo, fodd bynnag, fu'r Neuadd Bentref a adeiladodd ac a gyflwynodd yn anrheg i bentref Cemaes yn 1898. Rhoes y defnyddiau gorau a feddai i adeiladu'r neuadd a gostiodd iddo £2,500. Yn ddiddorol iawn darllen am y neuadd yma a barodd i Syr John Pritchard Jones anrhegu pentref Niwbwrch â'r neuadd nodedig honno. Ar fore Mawrth y 19eg o Orffennaf 1898 yr oedd pentre Cemaes wedi'i gwisgo â baneri lliwgar a'r holl drigolion mewn hwyliau i ddathlu'r achlysur. Cyfeiriodd Owen Parry'r gweinidog at y neuadd fel llain o frethyn newydd wedi'i gydio wrth hen ddilledyn ar gwr ucha'r pentref. Tua diwedd y 19g a dechrau'r 20g yr oedd rhyw ymdeimlad o falchder pentrefol yn cyniwair yng nghefn gwlad Cymru. Dyma'r cyfnod yr ysgrifennai O.M. Edwards yn Oriel Ardaloedd yn ei gylchgrawn enwog – *Cymru*. Bathodd Hywel Teifi Edwards enw newydd am y balchder yma – *pentregarol*. Yr oedd David Hughes yn ymwybodol o'r balchder yma'n siŵr. Balchder sydd wedi dal yn fywiog yng Nghemaes hyd heddiw. Bu eu gofal o'r neuadd yn arwydd o'u gwerthfawrogiad o'r rhodd hwn. Wedi dros gan mlynedd y mae'r neuadd yn raenus a glân gyda gweithgareddau amrywiol yn gyson drwy'r flwyddyn.

Ond doedd gan bawb fochau bodlon i'r neuadd newydd. Yr oedd bywyd cymdeithasol gynt yn troi o gwmpas y capel ymneilltuol a'r fenstr. Dyma fel yr ysgrifennai J.S. Evans, gweinidog yr Annibynwyr yn *Anerchiadau'r Pentref*: 'Rhannai y gymdogaeth yn ddwy yn eu barn, gyda golwg ar ddylanwad y fath sefydliad – dwyn pobol ifanc o'r ddau ryw yn gymysg â'i gilydd a hynny'n hwyr y nos.' Ond buan iawn y profwyd fod yr ofnau a'r peryglon hyn yn gwbwl ddi-sail ac fe ymunodd y pentrefwyr i gyd i werthfawrogi ac i wneud defnydd llawn o'r neuadd.

Cynlluniwyd y neuadd gan gwmni enwog o Lerpwl – Y Penseiri Richard Owen a'i Fab. Mae'r brif neuadd yn eistedd oddeutu tri chant gyda llwyfan helaeth yn codi tair troedfedd o'r llawr. Yn unol â phensaernïaeth y cyfnod mae i'r neuadd dŵr a gyfyd i uchder o hanner can troedfedd lle y nytha cloc y pentref. Ar yr ochor chwith i'r fynedfa y mae ystafell o gryn faint yn fan cyfarfod i bobol ifanc y pentre, ac am y pared y mae ystafell o'r un maint lle y byddai llyfrgell a darllenfa. Yr oedd hon yn stafell boblogaidd iawn gan y pentrefwyr hŷn – deuent yma bob bore i ddarllen y papurau dyddiol gyda phaned ac yn bennaf i gael cwmni a sgwrs – pa rodd well i bentra yng nghefn gwlad ar ddechrau'r 20g? Mynnai David Hughes i'r neuadd fod dan oruchwyliaeth deg o ymddiriedolwyr yn cynnwys gweinidogion yr ardal a pherson y plwyf gyda chymorth pwyllgor o wyth.

Ond heb os gorchestwaith David Hughes fu adeiladu ei ail gartref ar benrhyn y Wylfa. Yn wahanol i'r diwydianwyr eraill a ddaeth i'r ardal ac i Fôn i godi ail gartrefi yr oedd David Hughes â'i wreiddiau yn yr ardal. Yr oedd yn adnabod, er yn blentyn, bob un o'r traethau – Porth yr Ogof, a ddaeth yn eiddo preifat iddo, Porth Wylfa lle cynhelid y gala deifio a oedd mor boblogaidd, Porth y Pistyll, Porth y Gwartheg, Porth y Galan Ddu a Phorth Wnal. Mi fedrai David Tŷ Capel restru enwau'r glennydd hyn cyn dysgu'r tablau yn ysgol yr hen soldiwr, er ei fod yn well na neb o'i ddosbarth mewn ffigyrau.

Mae'n naturiol y byddo David Hughes a Jane Hughes ei briod yn troi ymhlith y dosbarth uwch yn Lerpwl a chryn sôn a siarad am ffasiwn y dydd – cael ail gartref. Dichon mai Jane

Hughes oedd fwyaf awchus i ddilyn y ffansi. Yr oedd hi o gefndir gwahanol i'w phriod a oedd yn ddarbodus a chynnil. Ond heb os mai David a benderfynodd leoliad yr ail gartref a phan ddaeth y cyfle dewisodd ei gynefin a'r hen ynys yn tynnu. Daeth fferm y Wylfa ar y farchnad gan fod Owen Williams a'r teulu'n symud i ffermio'r Bwlch Llanfechell.

Prynodd David Hughes fferm y Wylfa yn cynnwys tŷ ffarm ac iard helaeth ac adeiladau a chant a thrigain erw o dir. Yr oedd y diriogaeth yn ymestyn o Borth Pistyll hyd Borth y Wylfa. Fu'r fath ddewis erioed am safle i adeiladu tŷ. Dewisodd David Hughes safle yn agos i dŷ fferm y Wylfa ar godiad tir o fewn cwta filltir i'w gartref cyntaf yn Nhŷ Capel Bethesda. Yma o sŵn a dadwrdd y ddinas a phryderon busnes y cafodd David Hughes lonyddwch a thawelwch. Dim ond sŵn y môr yn golchi'r creigiau ac weithiau yn eu curo. Oddi yma ar ddiwrnod clir gwêl fynyddoedd Ynys Manaw a'r Iwerddon yn gorffwys ar y gorwel y tu hwynt i'r môr, ac y gwêl yr haul yn ymgolli yn y Werydd ac yn addurno'r awyr â'r fath liwiau cyfnewidiol. Credai David Hughes fod y fath safle godidog yn hawlio gorchestwaith mewn adeiladu, ac felly y bu, fe'i hadeiladwyd yn gwbwl ddiofal o'r gost gyda'r defnyddiau gorau. Cai olygfa ddymunol a difyr drwy bob ffenestr o'r tir a'r môr. Anelai'r stemars a'r llongau am Afon Merswy – yr oedd y môr yn fyw! A beth am y tirlun? Yr oedd gweirglodd ddeunaw erw ar hugain wrth y tŷ ac o'r tu cefn yr oedd y penrhyn yn ddeugain erw o dir garw a chreigiog wedi ei warantu yn gwningar – a dyna olygfa! Yr oedd rhodfa goediog yn arwain o borthdy bychan at y plasty ac yn unol ag arferiad y cyfnod yr oedd yno ddwy ardd gaerog i gynnal y teulu.

O bob ail gartref a godwyd yn yr ardal neu ym Môn doedd yr un fel Wylfa Manor a ragorai arnynt i gyd o ran safle, maint ac o ran adeiladaeth. Mae'n wir fod tai oes Victoria yn fawr ac yn sgwarog ond roedd y Wylfa yn fwy o blasty nag o dŷ. Mae pob lle i gredu mai chwaeth a balchder Jane Hughes ei briod a oedd tu ôl i'r fath orchestwaith. Gan fod y Wylfa Manor yn blasty mor unigryw mi fyddai'n werth cael cipolwg ar gynllun y fath adeilad. Fe'i codwyd ar godiad tir mewn safle nodedig wrth y môr gyda chyntedd hamdden helaeth yn arwain i'r parlwr, ystafell fwyta; 'Stafell biliard neu stafell ysmygu; lolfa; ystafell gotiau a thoiled; ystafell haul; stafell sgrifennu; ystafell blant (meithrinfa); deg ystafell wely, bathrwm; ceginau, pantrïau a swyddfeydd teuluaidd. Ceir hefyd gylch o dai allan yn cynnwys golchdai a phob hwylustod i ofynion y tŷ.

Yn ychwanegol at hyn fe adeiladodd fath o wersyll o gytiau o adeiladwaith sylweddol wedi'i haddasu'n bwrpasol yn neuadd adloniant – math o theatr fechan, lolfa, ceginau a baddonau a thoiledau, gyda thrydan a dŵr wedi'i gysylltu drwyddo. Yr oedd yr holl wersyll ar arwynebedd o fil o droedfeddi sgwâr. Yr oedd yno adeiladau'r fferm hefyd yn stablau a beudai o gerrig. Perthynai i stad y Wylfa arfordir estynnol iawn o Borth Pistyll ar gylch i Borth y Wylfa (gwêl y map).

Y mae'r cyfeiriad at y neuadd adloniant yn ddiddorol iawn gan y byddai aelodau o'r teulu yn perfformio dramâu byrion ac ysgetiau i aelodau'r teulu a'r staff fel cynulleidfa. Mi fyddai dwy wraig oedrannus o Gemaes yn ymffrostio iddynt gael rhan yn y dramâu hyn pan oeddynt yn ferched ifanc – Magi Tanfron a Dora Williams Tyddynronw oedd y ddwy ffodus hynny. Mae'n debyg mai'r ffaith eu bod ill dwy yn aelodau ffyddlon o gapel Bethesda fyddo eu cymhwyster pennaf i gael rhan. Bu'r ddwy yn ffyddlon gydol eu hoes fel Mrs Althea Hughes Yr Ardd a Mrs Dora Davies Morlais.

Bu nodwedd arall i'r plasty ar benrhyn y Wylfa hefyd – daeth yn ffasiynol i'r cyfoethogion mwyaf gael math o olygfan (lookout) ar do eu tai mawrion a fyddai ar safle delfrydol. Gan fod Wylfa Manor ar safle mor odidog a'r perchennog yn gyfoethog iawn mae'n naturiol ei coronwyd â safle o'r math ar y to. Yr oedd yr olygfan yn mesur tua deg troedfedd sgwâr o lawr coed wedi ei insiwleiddio â phlwm rhag y glawiau. Fe gylchynid y llawr â rheiliau o haearn gyrru addurnol a ymddangosai fel coron ar y to gan roi urddas arbennig i'r tŷ. A'r gyfri'r gost ychydig o dai coronog a geid. Yn ddiddorol iawn rai blynyddoedd yn ôl ar raglen *Pedair Wal* ar S4C cawsom gyfle i weld tŷ o'r math gyda manylu ar yr olygfan unigryw. Garth Celyn ar ffordd Llanbadarn, Aberystwyth oedd y tŷ hwnnw, tŷ a fu'n gartref i'r Athro Richard Aaron ond bellach yn eiddo i'r Parchedig Peter Thomas a'i briod. Arweiniwyd ni gan Wyn Samuel yn y rhaglen i ben grisiau'r trydydd llawr lle'r oedd ysgol gul i gyrraedd math o ddrws-codi trwchus ar wastad y seilin ac arno handlen gref i'w sleidio i agor. O'i agor dyna ni allan ar y to, ac o gau y drws-codi fe ffurfia ran o'r llawr a dyna ddihangfa berffaith! Fe dreuliodd David Hughes oriau difyr yn y llonyddwch tawel hwnnw heb fynydd na bryn i rwystro'r fath olygfeydd o Fôn ac Arfon o'i ail gartref. Heb os Wylfa Manor oedd yr ail gartref mwyaf rhwysgfawr ar Ynys Môn os nad yng Nghymru a adeiladwyd yn 1880. Fe ddarllenwn yng Nghyfrifiad 1881 fod David Hughes, ei briod a'r ddwy ferch, Miriam yn un ar bymtheg oed a'i chwaer Edith Mary yn bedair ar ddeg oed yno am eu haf cyntaf. Yn ddiddorol iawn yr oedd yna chwech o staff i weini arnynt – y rheolwraig ac athrawes – Elizabeth Beakeroff; Mary Hughes yn feistres y tŷ, Margaret Griffiths a Margaret Roberts yn forwynion; Thomas Owen yn hwsmon ar y fferm gyda Henry Owen yn was fferm. Mae'n debyg fod David Hughes yn ffermio peth o'r tir ar y dechrau ond fe osododd y fferm yn ddiweddarach ar denantiaeth o flwyddyn i flwyddyn. Mae'n amlwg eu bod fel teulu yn byw ar raddfa uchel iawn i gael y fath staff ar eu gwyliau. Yr oedd yno ddwy ardd helaeth at eu cynhaliaeth. Yr oedd ganddynt fel teulu bopeth o fewn cylch eu plasty – eu traeth preifat iddynt eu hunain – Porth yr Ogof, a chyda'r holl gyfleusterau a berthynai i dŷ o'r fath doedd dim rhaid cysylltu rhyw lawer â'r gymdeithas y tu allan i ffiniau'r Wylfa ac eithrio ar y Sul.

Yr oedd y Sul yn ddiwrnod cyhoeddus iawn i deulu'r Wylfa. Byddai aelodau Capel Bethesda yn edrych ymlaen at Suliau'r haf, ac roedd teulu'r Wylfa yn bwysicach o lawer nag unrhyw bregethwr a ddisgwylid. Cyrhaeddai car dau geffyl y Wylfa yn brydlon i oedfa'r bore a'r ffyddloniaid wedi ymorol eu bod yno mewn da bryd iddynt gael golwg ar y teulu yn eu gwisgoedd gorau. Elai David Hughes ar y blaen i'r teulu i stafell y blaenoriaid yn y Tŷ Capel (ei hen gartref). Cerddai'r teulu yn araf a gofalus gan ymdrwsio yn y cyntedd cyn cerdded i'r sedd ddwbwl wrth y sêt fawr. Byddai aroglau'r persawr yn llenwi'r capel ac yn y distawrwydd llethol clywid siffrwd y sanau sidan yn destun chwerthin i'r plant ac yn destun cenfigen i'r mamau yn eu sanau gwlân du trwchus. Yr oedd sedd y Wylfa yn llawn o glustogau cyfforddus lliwgar gyda thraed ceinciau o'r un defnydd a lliw.

Yr oedd gan y teulu feddwl y byd o gapel Bethesda, onid yma y torrodd David Hughes ei dri gair yn gyhoeddus cynta' – 'Duw cariad yw'; yma y derbyniwyd ef yn aelod efo'r Methodistiaid Calfinaidd, ac yma ar Fai 10fed, 1899 y priododd ei ferch ieuengaf – Edith Mary â gweinidog Princess Road Lerpwl – Y Parchedig Ddr John Williams. Fu'r fath dyrfa mewn Sasiwn ag a oedd yn y briodas honno. Mi fyddo David Hughes yn ddyn balch o gael un o bregethwyr enwoca' Cymru yn fab-yng-nghyfraith ac yn weinidog un o'r capelau mwyaf; ac mae'n reit siŵr y byddo John Williams yn ddistaw bach yn ddigon balch o gael y fath libart i saethu heb dresbasu!

Bu farw David Hughes ar Fawrth 12fed, 1904 a'r diwygiad yn dechrau cynhyrfu'r wlad – *'diwygiad Evan Roberts'*, fel ei gelwid. Gyda'r Parch John Williams yn asiant i'r diwygiwr roedd yn naturiol iddo ddod i Fôn ac i Gemaes, wrth gwrs. Wedi cyfarfodydd tanbaid yn Lerpwl cafodd Evan Roberts, a oedd ar ddiffygio, fwynhau moethusrwydd y Wylfa i ddadrebu a chael ei gefn ato.

Cyrhaeddodd y diwygiwr i stesion fach Rhosgoch ar yr hen lein Amlwch i Langefni – ynghanol unman. Yr oedd y stesion yn llawer iawn mwy cyfarwydd â llwytho gwartheg porthmyn enwog Llannerchymedd na dadlwytho diwygiwr. Ac eto, roedd yma gymaint cynnwrf wrth dderbyn Evan Roberts ar dir Môn ag a oedd wrth bastynu bustych Môn. Yr oedd car crandia'r Wylfa yn ei ddisgwyl ymhell cyn i'r trên gyrraedd. Pan ddaeth y trên fu'r fath orfoledd mewn stesion erioed, cydrhwng pwffiadau blinderog y trên a bonllefau pobol a phlant, roedd yr orsaf feistr druan mewn panig llwyr. Arweiniodd y gweinidog y diwygiwr a'r ddwy gantores – Mary, chwaer y diwygiwr ac Annie Davies i gerbyd y Wylfa. Yr oedd dwy res o bobol o ddeutu'r ffordd gul o Rosgoch i gyfeiriad Llanfechell. Welwyd y fath bobol erioed ag a oedd yn Llanfechell – cartref diwygiwr mawr arall – John Elias. Ymlaen am y Wylfa. Cyrraedd y plasty a'r dyrfa wedi gorfod aros wrth y porthdy yng ngheg y rhodfa, pwy feiddiai fynd dim cam yn nes, mi roedd yna ryw breifatrwydd yn cylchynu'r lle.

Treuliodd y tri efengylwr amser i'w gofio yn yfed o groeso John Williams a theulu Wylfa Manor. Yr oedd y tri gwerinwr syml ar goll mewn tŷ mor fawr. Yn ystod eu harhosiad yng Nghemaes fe lwyddodd *Morris Photos* o Gemaes i gael llun o Evan Roberts yn sefyll mewn cwch yn y Bae – fedrai neb ddianc rhag llygaid barcud y Morris hwnnw. Ond diolch iddo y mae rhai yn trysori'r llun hwnnw hyd heddiw yng Nghemaes.

Yr oedd y saint yng Nghemaes yn brysur yn paratoi oedfa'r diwygiad. Yn ffodus mae gennym gofnodion o gyfarfod swyddogion Bethesda ar Fehefin 1905 – fe benodwyd ugain o stiwardiaid dan ofal Mr Hughes Jones y Bryngwyn, y pen-blaenor, i drefnu'r oedfa, ac ef oedd i ymorol am fathodyn i bob stiward. Hughie Owen a oedd yn gyfrifol am y *ventilation*, go brin fod, hyd yn oed yn Bethesda 'system tymheru'? Ond doedd raid i Hughie Owen bryderu am y *ventilation*, ymhell cyn amser dechrau yr oedd Capel Bethesda'n fwy na llawn a'r tyrfaoedd yn dal i dyrru. Yr oedd y pen-blaenor a'r stiwardiaid mewn panig – cynulleidfa enfawr heb fath o hysbys. Hawliwyd cae Tanyfron heb ganiatâd na phwyllgor. Yno yn yr awyragored y cafwyd un o oedfaon mwyaf y diwygiad ym Môn. Yn ôl y wasg roedd yno gynulleidfa o gryn bedair mil, yn ddiddorol iawn gweision ffermydd oedd y rhelyw o'r gynulleidfa. Dyna brawf mai llafurwyr y tir, yn weision a thyddynwyr, oedd cynheiliaid bywyd cymdeithasol a chrefyddol yng nghefn gwlad Môn ar ddiwedd y bedwaredd ganrif ar bymtheg a dechrau'r ugeinfed ganrif. Gresyn na chafodd David Hughes gwmni'r diwygiwr ar ei aelwyd foethus yn y Wylfa a chael bod yn rhan o'r gynulleidfa fawr ar gae Tanyfron.

Ond bu farw David Hughes flwyddyn ynghynt gan adael bwlch mewn byd ac Eglwys. Ond ar yr aelwyd yn Winterdyne

Lerpwl a'r Wylfa Manor y bu'r golled a'r newid mwyaf. Yn ffodus yr oedd ganddo ddau fab-yng-nghyfraith abl iawn i drefnu'r stad – Y Parch. John Williams, priod Edith Mary ei ferch ieuengaf, a James Venmore, priod Miriam y ferch hynaf. Yr oedd James o deulu'r asiant gwerthu tai ac eiddo enwog – Messrs W & J Venmore – North John Street, Liverpool.

Fe ganiatawyd profet o ewyllys David Hughes wedi ei harwyddo gan Jane Hughes ei briod a James Venmore fel ysgutorion. Dengys ei ewyllys fod David Hughes yn ddyn cyfoethog iawn gyda'i holl ystâd yn werth £14,000,000, swm anhygoel dros gan mlynedd yn ôl. Yn ôl y stori gadawodd Gemaes yn llanc pedair ar ddeg oed a dim ond hanner coron ar ei elw! Mi gofiodd yn hael am bobol ac achosion yn ei ewyllys:

> Rhoes:
> I Genhadaeth Dramor y Methodistiaid Calfinaidd – £500.
> Tlodion Cemaes, Y Penrhyn a Thregele – £5 am ugain mlynedd.
> John Hughes y coetsmon – £200.
> Village Hall, Cemaes – £20 y flwyddyn am ugain mlynedd.
> Tuag at gyflog gweinidog Bethesda – £25 am 25 mlynedd.
> Blaenoriaid Bethesda Cemaes – £390 am 25 mlynedd.
> Jane Jones a Margaret Hughes – dwy forwyn – £20 yr un.

Bu marwolaeth David Hughes yn golled enfawr i Gymry Lerpwl, yn grefyddol ac yn gymdeithasol. Bu'n gryn newid hefyd ar benrhyn y Wylfa – yn Wylfa Manor, ei greadigaeth ef oedd y plasty mawreddog ar y penrhyn a daeth ei enw'n gyfystyr â'r Wylfa i genhedlaeth neu ddwy. Er pob newid a chwalu a fu ar dirlun penrhyn y Wylfa ni ddilëwyd enw'r llanc ifanc o

Gemaes a garodd y pentref a'i magodd, mor angerddol a thra cofier am y Wylfa fe gofir am David Hughes.

(b) Rosina Buckman

Bu i Rosina Buckman, y gantores operatig fyd enwog o Seland Newydd, brynu'r **Galan Ddu** – bwthyn bach digon diolwg led dau gae o Borth y Gwartheg. Fe chwalwyd y bwthyn ac adeiladu tŷ hardd o gryn faint wrth ei ymyl, ond chwarae teg i'r ymwelydd diarth mi gadwodd enw'r bwthyn i'w roi ar y tŷ newydd. Dyma ail gartref eto i gymeriad nodedig iawn a daeth y Galan Ddu yn enw cyfarwydd. Tra cofir am y Wylfa fe gofir am y Galan Ddu a Rosina Buckman.

Ond pwy oedd Rosina Buckman? Fe'i ganed mewn tref fechan – Blenheim yn Seland Newydd ar Fawrth 16eg, 1881. Hanai o deulu cerddgar, ei thad yn meddu ar lais cyfoethog a'i mham yn organyddes ei heglwys ac yn dipyn o fardd. Cymhellwyd y teulu i roi hyfforddiant cerddorol i Rosina ar gyfrif ei llais hynod gyfoethog. Canai yng ngwasanaethau Byddin yr Iachawdwriaeth cyn cyrraedd ei phedair oed. Ymunodd â chôr y Methodistiaid dan arweiniad James Grace yr arweinydd a ryfeddai at y fath lais gan

Rosina Buckman
(Llun: Llyfrgell Genedlaethol Seland Newydd)

Galan Ddu

blentyn. Cafodd hyfforddiant safonol gan ei harweinydd am wyth mlynedd yn canu'r prif rannau yn y côr. Cytunodd ei rhieni, er yn gyndyn iawn, â chais James Grace i Rosina ymweld â Birmingham gydag ef a'i briod. 'Gwyddwn,' meddai ei mham mewn tristwch, 'na allwn ei chadw i ni ein hunain am byth a chanddi'r fath lais'.

Daeth Rosina i Loegr yn 1898 yn ddisgybl dan yr Athro Charles Swinnerton Heap a gyfrifid yn un o'r arweinyddion corawl gorau. Yn anffodus bu farw yn 1900, wedi iddo gofrestru Rosina yn y *Birmingham and Midland Institutes School of Music,* ysgol hynod enwog a ddenai fyfyrwyr o dros y byd. Yr oedd perfformiadau Rosina yn tynnu sylw'r beirniaid a chai sylw ffafriol yn y wasg a chan ei hathrawon. Aeth Rosina rhagddi o lwyddiant i lwyddiant nes cyrraedd Covent Garden gyda Chwmni Opera Syr Thomas Beecham.

Fe gytunai'r beirniaid mai ei pherfformiad fel Isolde oedd

ei gwir bencampwaith. Yn yr opera enwog honno gan Wagner – *Tristan and Isolde* gyda Frank Mullings yn chwarae rhan Tristan a Rosina Buckman yn Isolde. Yr oedd Rosina yn ysbrydoli'r rhan â theimlad digymell a diffuant a oedd mor nodweddiadol o'i natur. Credai un o'r beirniaid fod perfformiad Rosina o'r cymeriad yma y gorau erioed a roddwyd yn Saesneg. Mae'n amlwg ddigon fod ganddi soprano o ansawdd neilltuol, llais a oedd yn gyfoethog mewn teimlad. Aeth y *New Zealand Times* mor bell â dweud fod ei gwefusau wedi cyffwrdd â marworyn oddi ar yr allor! Yn ôl un beirniad yr oedd ganddi ryw anianawd na allai unrhyw hyfforddiant ei roi iddi.

Ni flinai Rosina yn ei ffordd ddramatig adrodd am ei phortread mwyaf hynod o'r Opera *Tristan and Isolde* yn ystod cyrchoedd rhyfel 1917 ar Lundain. Yr oedd llawer iawn o'r theatrau wedi cau a rhai wedi'i dinistrio ond yr oedd Cwmni Beecham yn dal ati. Yr oedd Edna Thornton a Rosina ar y llwyfan y nos Lun honno yn ceisio perfformio, dan y fath amgylchiadau, i gynulleidfa nerfus ac ofnus. Yr oedd y cyrchoedd yn bombardio'n ddidrugaredd nes peri i'r lloriau grynu dan eu traed. Dihangai'r gynulleidfa o un i un yn llechwraidd tra canai Isolde ei serch i Tristan. Daeth y rheolwr ymlaen ar y llwyfan ar ganol ail act y ddeuawd gan gyhoeddi mewn llais uchel crynedig fod awyrennau'r gelyn wedi croesi'r culfor ac y byddai cyrch arall yn cychwyn yn fuan. Wedi peth tawelwch ailgychwynnodd Isolde ar ei rhan o'r lle y bu iddi adael ac er i sŵn y saethu chwibanu drwy'r theatr daliai Rosina i ganu heb gryndod yn ei llais, parhaodd yn hamddenol a di-ffws i'r diwedd gan amlygu ei dewrder artistig. Mi fyddai Rosina yn cael hwyl anghyffredin yn adrodd y stori wrth ei hedmygwyr yng Nghemaes. Yn ôl rhai o'r beirniaid dyma un o'r portreadau mwyaf nodedig o Isolde gan Rosina a hynny dan y fath amgylchiadau.

Yn y blynyddoedd hyn, canol y rhyfel, yr ymddangosodd enw Rosina Buckman am y gwaith gyntaf ar recordiau gramoffon – y teclyn newydd sbon. Dyma hi bellach wedi cyrraedd o fewn golwg y brig – y dosbarth cyntaf ac i gwmni'r enwau enwocaf ym myd canu – Carico Caruso (1877-1921), Adelina Patti (1843-1919) a Nellie Melba (1861-1931). Eto yr oedd rhai o'r prif gantorion yn ochelgar o recordio'i lleisiau am wahanol resymau. Ond roedd Rosina yn ymwelydd cyson â'r stiwdio ac fe gynhwysai'r catalogau gyfoeth o'i dawn neilltuol yn ei llwyddiannau operatig ac o'i chaneuon a ganai mewn cyngherddau. Yn ôl y beirniaid yr oedd ei llais mor addas i'w recordio gyda datganiad gwych ac anianawd artistig rhagorol.

Yn 1919 priododd Rosina Buckman ag un o'i chydnabod o'r Cwmni Beecham, Maurice d'Oisly. Yn naturiol bu'r ddau yn cydganu mewn cyngherddau poblogaidd ar deithiau trwy Brydain gan ymddangos mewn operâu teithiol fel unawdwyr. Yr oedd Maurice yn denor ysgafn neilltuol, yn artist telynegol gyda dawn yn actor. Yn 1922 dychwelodd y ddau – Maurice a Rosina i Seland Newydd ar daith ffarwel. Ar Ebrill 2il, 1922 amcangyfrifid fod deng mil o gynulleidfa yn eu gwrando yn y Neuadd Albert. Canodd y ddau yn ninasoedd a threfi'r wlad i gymeradwyaeth fyddarol y cynulleidfaoedd. Yn ôl y *New Zealand Herald* – welwyd erioed yn hanes y wlad olygfeydd mor frwdfrydig a hwyliog yn neuadd y dref Auckland gan gynulleidfa o dair mil.

Ond i bobol Cemaes a thyddynwyr y Wylfa y ffaith i Rosina Buckman brynu'r Galan Ddu oedd y rhyfeddod mwyaf o'r newyddion gorau. Y fath newyddion, cantores operatig fyd enwog yn prynu bwthyn bach diolwg yn ail gartref ar benrhyn y Wylfa. Mi syrthiodd y gantores mewn cariad yn fuan iawn â phenrhyn y Wylfa, anwylai pob cilfach a chlogwyn. Pan ddeuai ar ei thro i'r Galan Ddu deuai rhyw awel o chwilfrydedd i'r ardal a phawb isio'i gweld a hithau isio gweld hwythau. Yr oedd ei bywyd a'i byw, fel cantores enwog, allan o gyffyrddiad â phobol o gig a gwaed – rhyw fywyd oer dideimlad a digyffwrdd ydoedd. Gwerthfawrogai Rosina wefr a gwres agosatrwydd pobol o'i chwmpas. Eto, yr oedd hi mor anghyffredin ac mor wahanol. Gwisgai'n wahanol, gwisg wenlaes a'i chwmpas chwyddedig yn ymddangos fel pe bai'n nofio gyda'r awel. Mi roedd hi'n grand o'i cho' mewn dillad dydd Sul bob dydd, ac eto roedd hi mor agos, yn ddigon agos i gyffwrdd pawb. Dacw hi yn nofio i lawr y stryd yng Nghemaes â dau gi bach, un dan bob cesail lydan. Dau gi bach gwahanol a'u hwynebau bach wedi'i gwasgu'n seitan at ei gilydd rhwng eu dau lygad mawr llonydd. Pwy welodd gŵn fel y rhain erioed?; dau estron o wlad bell o'r enw Pecinî. Roedd y plant yn gwirioni efo'r cŵn bach digri a hithau Rosini mor oddefgar. Yr oedd digon o gŵn defaid yn yr ardal a sawl mwngrel ac roedd yna filgwn a chynllwyngwn yn yr Ardal Wyllt gerllaw ond doedd gan neb pecinî – neb ond Rosina Buckman.

Ar ddechrau'r tri degau fe ymddeolodd Rosina o'r llwyfan operatig ar ei phenodi, hi a'i phriod yn athrawon yn yr Academi Gerddorol Frenhinol yn Llundain. Yn ddiweddarach fe'i hetholwyd yn Aelod Anrhydeddus o'r Academi. Yr oedd bellach yn fwy rhydd i dreulio mwy o amser yn y Galan Ddu a chwmni ei *beloved Welsh friends* fel y galwai bobol Cemaes! Yn ystod gwyliau'r haf deuai cymaint â deg ar hugain o'i myfyrwyr o'r Academi i'r Galan Ddu i fwynhau gwyliau ac i barhau â'u hymarferion. Cyflwynai Rosina'r myfyrwyr i drigolion Cemaes gan gredu fod hynny yn rhan bwysig o'u cwrs. Daeth amryw o'r myfyrwyr hyn yn enwau byd enwog ar lwyfannau cerdd. Ymfalchïai pentrefwyr Cemaes y caent eu diddori â'r fath ddoniau o'r Academi Frenhinol yn eu neuadd a hynny yn rhad ac am ddim – 'manna o'r nefoedd' yn siŵr! Ebychai rhyw wraig fawreddog gerddgar wrth adael y neuadd wedi cyngerdd gwych a'r cerddorion ieuanc ar eu gorau – 'mae'r petha Cemaes yma'n cael pob dim!' Yn naturiol mi roedd yna dipyn o genfigen bentrefol.

Y doctor lleol – Doctor Hywel Jones a fyddai'n trefnu llawer o'r cyngherddau hyn. Yr oedd Dr Hywel yn ddyn eangfrydig iawn a'i ddiddordeb mewn cerddoriaeth a drama yn arbennig. Trefnodd gyngerdd neilltuol gyda myfyrwyr y Galan Ddu; roedd y neuadd yn fwy na llawn a'r myfyrwyr yn ferched a dynion yn tynnu'r lle i lawr. Seren y noson, heb amheuaeth, oedd merch o dras estron o'r enw Maria. Bu *Maria* yng ngheg y pentrefwyr am ddyddiau, merch yn siŵr y deuai'r byd i wybod amdani. Aeth y doctor i'w dŷ yn ddyn bodlon ac eithrio fod y cur pen arferol yn ei lethu. Aeth i'w wely'n syth i ddadflino ar gyfer syrjeri lawn fore trannoeth. Canodd y ffôn cyn tri o'r gloch – llais merch gynhyrfus – '*Maria is dead*' yna saib, '*or dying*' Cododd y doctor i sylweddoli fod y cur pen wedi troi'n feigryn ciaidd. Yng nghwmni meigryn a'r tri gair, *Maria is dead*, cyrhaeddodd Doctor Hywel y Galan Ddu i fwstwr ugain a gwell o lafnau ifanc swnllyd a neb yn torri gair o groeso i'r doctor a lwybrodd trwy'i canol gan anelu am y drws – dilynwyd ef i fyny'r grisiau, bron nad oeddent yn cario'u doctor a'i fag mawr, nes cyrraedd rhyw neuadd gysgu fawr gydag wyth o welâu. Safai Rosina wrth un gwely lle y gorweddai merch ifanc a'i gwallt melyn wedi'i chwalu dros y gobennydd. Safai Rosina'n fud â dau gi bach un wrth bob troed iddi, yn ei gwarchod. Estynnodd y doctor yn naturiol at arddwrn y ferch â'i fys a'i fawd yn broffesiynol er mwyn teimlo'r pwls – haffiodd y claf fel teigar gwyllt gan gyhoeddi'n uchel – '*go away*'. Deuair a ddadlennodd gyflwr y claf. Gafaelodd y doctor yng nghwr y cwrlid tenau i ddinoethi'r ferch a rhoes iddi'r chwip din orau gafodd neb erioed. Gafaelodd yn ei fag a'i gwneud hi am y drws gan gyhoeddi ei ddedfryd – '*she's got hysterics*'. Pryderodd y doctor am ddyddiau, tybed a oedd ei ddiagnosis yn gywir ai peidio? Mae'n amlwg y bu Maria fyw i ganu ac i ddiddanu'r tyrfaoedd a go brin y cafodd hi chwip din fyth wedyn!

Ond nid y myfyrwyr yn unig a gynhaliai gyngherddau yn Neuadd y Pentref, Cemaes, fe drefnai Rosina a Maurice ei phriod gyngherddau hefyd – deuawdwyr fyd-enwog. Fu erioed y fath fri ag a gafwyd yng Nghemaes yr hafau hynny. Yr oedd rhyddid i'r neb a fynnai gyfrannu er budd elusennau rhyfel, ond ni chodent unrhyw dâl am eu perfformiadau clasurol. Ymateb Rosina i unrhyw gynnig talu fydd: '*We love singing to our beloved Welsh friends*'.

Ond er cymaint oedd serch a hoffter Rosina a Maurice o'r Galan Ddu a phobol Cemaes yr oedd Emma d'Oisly, mam Maurice, wedi ei chyfareddu'n llwyr â'r lle. Cymaint oedd ei hoffter o'r Galan Ddu a phenrhyn y Wylfa fel nad adawai o'r lle gyda'i mab a'i merch-yng-nghyfraith pan elent yn ôl i Lundain ar eu tro. Treuliai Emma oriau bwygilydd yn eistedd yng ngardd y Galan Ddu mewn llonydd a thawelwch i wrando ar y môr yn crafangio'r clogwyni; ryw dawelwch na theimlodd yn unman arall erioed yn ei bywyd. Gymaint oedd ei chariad at y lle fel y trefnodd y cleddid ei gweddillion mewn bedd yn y Graig yng ngardd y Galan Ddu, bedd fel a ildiodd Joseff o Arimathea gynt. Bu farw Emma d'Oisly yn 1935 yn 84 oed a gwireddwyd ei dymuniad, fe seliwyd y gasged a gynhwysai ei gweddillion yn y graig.

Tua diwedd y flwyddyn 1948 yr oedd adroddiadau ym mhapurau newydd Seland Newydd fod Rosina Buckman yn bur wael yn Ysbyty Battersea. Fe'i symudwyd i gartref nyrsio yn Surrey, cartref arbennig i artistiaid, ond ar ôl mis yno bu farw ar y dydd olaf o'r flwyddyn 1948. Fe'i claddwyd gyda'i gŵr Maurice d'Oisley ym mynwent Marylebone yn Llundain. Fe gyhoeddwyd teyrnged nodedig iawn iddi yn y *Royal Academy of Music Magazine*, gan y tenor enwog – Percy Heming: '*Her voice was a lyric dramatic soprano of great beauty and warmth, capable of all the finest shades of colour, from the youthful ardour of the first act of "Butterfly" to the terrible curses of "Isolde".*'

Gadawodd marwolaeth Davies Hughes Wylfa Manor gryn fwlch ar benrhyn y Wylfa, er i'r teulu barhau â'i hymweliadau cyson. Ond fe lanwyd y gwacter hwnnw i ryw raddau gyda'r Galan Ddu yn dod yn ail gartref i'r gantores fyd-enwog Rosina Buckman. Yr oedd hi yn llawer iawn nes at y bobl na theulu David Hughes gyda'u hunig gyswllt a oedd â'r Methodistiaid yng Nghapel Bethesda. Yr oedd yna ryw breifatrwydd o gwmpas plasty'r Wylfa o'i gymharu â'r Galan Ddu. Ond doedd wahaniaeth yng ngolwg Rosina Buckman rhwng sant na satan, yr oeddynt bawb iddi hi yn *beloved Welsh friends*. A thra y bydd cof am y Wylfa fe gofir am Rosina Buckman a chlywir ei llais cyfoethog yn awelon y môr o gylch y penrhyn o hyd.

(c) Teulu Vivian, Cestyll

O'r tri theulu amlwg a sefydlodd eu hail gartrefi ar benrhyn y Wylfa, teulu'r Cestyll ddaeth â mwyaf o sylw a phwysigrwydd i'r ardal. Yr oedd gan deulu'r Vivian gysylltiad agos â'r teulu brenhinol a does fodd mynd rhyw lawer uwch na hynny! Deuai'r Dywysoges Victoria, merch y brenin Edward VII a'r Frenhines Alecsandra, i'r Cestyll ar ei gwyliau. Elai i lawr i'r pentref a galw yn siop Willie Helsby fel pe bai'n galw yn Harrods. Mynnai gael golwg ar fwthyn Ffani Thomas, bwthyn bychan wedi ei guddio yng nghefn Stryd y Bont i lawr y grisiau cerrig wrth yr afon. Mi gafodd Ffani y fraint o groesawu'r dywysoges yn ddirybudd un bore, prin fod yno le iddi hi a Ffani droi ar aelwyd mor gyfyng. Gresynai Ffani na chafodd gyfle i roi llyfiad o flac-led i wyneb y popty a'r grât. Mae stori'r ymwelydd brenhinol ag aelwyd Ffani Thomas yn dal yn fyw ar lafar yng Nghemaes.

Ond o ba le y daeth y teulu enwog hwn i'r gornel bellennig hon o Fôn? Tyddyn bychan o ryw ddeng acer oedd Cestyll wedi ei ffurfio o ddarn o dir Cafnan, fferm o gryn faint ar y terfyn, a'r ddeule yn rhan o stad y Garreglwyd Llanfaethlu. Erbyn diwedd y bedwaredd ganrif ar bymtheg yr oedd Cestyll yn dŷ helaeth iawn o un stafell ar ddeg gyda gardd yn dŷ cwbwl nodweddiadol o ail gartrefi'r cyfnod. Yn ôl Cyfrifiad 1911 yr oedd un o'r enw Richard Roberts a'i briod fel gofalwyr yn y Cestyll.

Pan fu farw etifedd olaf Stad y Garreglwyd yn 1917 – y foneddiges Maria Reade yn ddi-blant ac yn weddw fe etifeddwyd y stad gan ei chefnder, yr Uwchgapten Fredrick Carpenter. Darniwyd y stad i'w gwerthu yn 1918 ac ymhlith sawl eiddo a werthwyd yr oedd Cafnan a Cestyll. Prynwyd Cestyll gan Walter Warrick Vivian, mab i'r ail Arglwydd Vivian o Blas Gwyn Pentraeth a oedd yn rheolwr ar chwareli llechi Dinorwig i'r Assheton Smiths y Vaynol. Wedi ymddeol yn 1902 prynodd 'Groffwysfa', tŷ hardd ar lan y Fenai gan newid ei enw i Y Glyn. Prynodd Walter Vivian Cestyll fel anrheg i'w hoff nith – Violet Mary Vivian, merch i'r Arglwydd Vivian o Bodwin, gan ei fod ef yn llysgennad yn Rhufain rhoddwyd Violet a'i chwaer Dorothea i ofal ei hewythr yn y Glyn a threulient, y ddwy efeilles, eu gwyliau yn y Cestyll.

Bu'r ddwy chwaer yng ngwasanaeth y Frenhines Victoria yn ei blynyddoedd olaf. Mae'n amlwg fod gan y frenhines gryn feddwl o'r ddwy chwaer gan iddi awgrymu y dylid eu cadw yng ngwasanaeth y teulu. Ar ei marwolaeth yn 1901 fe drosglwyddwyd Violet a'i chwaer ar staff y Frenhines Alecsandra ac Edward VII fel morwynion preswyl i'w dwy ferch – y dywysoges Victoria a'r dywysoges Alice. Yr oedd y ddwy dywysoges yn ddeg ar hugain oed tra nad oedd Violet a Dorothea ond un ar hugain oed yn gydymaith iddynt. Mae'n amlwg fod gan y teulu brenhinol gryn feddwl ac ymddiriedaeth yn y ddwy efeilles. Yr oedd Violet a'i chwaer yn ddwy ferch ifanc nwyfus a thalentog. Yr oedd Violet yn gantores wych ac yn ieithydd da. Ar gyfrif ei hoffter arbennig o Violet fe sicrhaodd y frenhines y daeth i adnabod amryw o'r teulu brenhinol yn dda. Cymerai'r frenhines ddiddordeb amlwg yn y ddwy chwaer Violet a Dorothea gan eu cymryd fel ei dwy ferch, cyfeiria atynt fel – *my heavenly twins*. Mewn amser daeth y dywysoges Victoria a Violet yn agos at ei gilydd ac yn gyfeillion mynwesol gan rannu'r un diddordebau yn arbennig garddio. Nid rhyfedd felly i'r dywysoges ymuno efo Violet ar wyliau i'r Cestyll a gwelid y ddwy yn gyson yng nghwmni ei gilydd.

Yn y cyfamser bu i Dorothea Vivian ddyweddïo â swyddog marchoglu addawol, Douglas Haig, a ddaeth yn ddiweddarach yn Syr Douglas Haig ac yn Bencadfridog yn ystod y Rhyfel Byd Cyntaf. Trefnodd y Frenhines Alecsandra i'r ddau briodi ym Mhalas Buckingham. Yr oedd gan Dorothea ei bywyd ei hun bellach a bu cyfeillgarwch â'r dywysoges Victoria yn help mawr

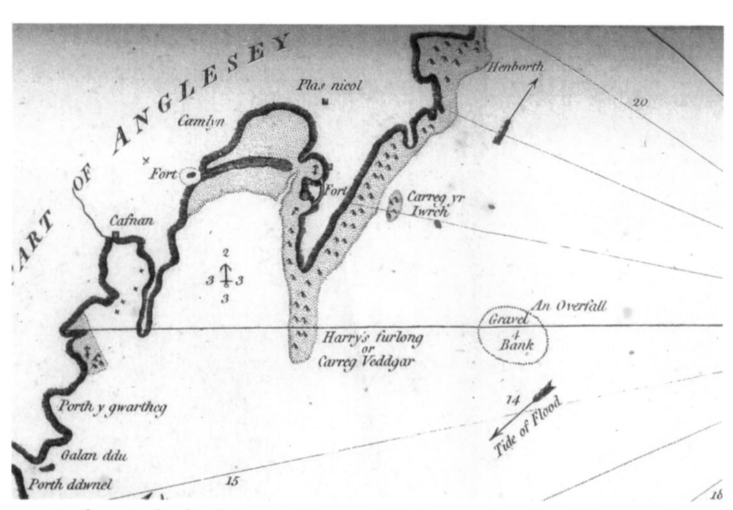

Arolwg Arfordirol Lewis Morris, 1730 – mae'r cofnod Fort *ar dir Cestyll yn awgrymu y bu amddiffynfa yma*

i lenwi'r bwlch a adawyd ym mywyd Violet o golli ei chwaer. Daeth Cestyll yn bwysicach bellach i Violet gan y gwelai botensial delfrydol ar y llecyn yma i sefydlu gardd. Daeth Cestyll yn gyfystyr â gardd i Violet a daeth rhodd ei hewythr William Walter yn werthfawrocach fyth yn ei golwg.

Ond beth am yr enw – **Cestyll** – lluosog o Castell, enw anghyffredin. Er yn ôl cronfa-ddata Melville Richards, y mae **Cestyll 1** yn Llanfechell, yn Rhoscolyn ac yn Llanfihangel Tre'r-beirdd. Y mae **Cestyll** Llanfechell ar ochor orllewinol o benrhyn y Wylfa ym Mhorth y Wylfa. Y mae arolwg arfordirol Lewis Morris 1730 yn dynodi'r gair *fort* ar ochor y penrhyn sy'n derfyn Bae Cemlyn. Tybed a fu yma erioed amddiffynfa ar y llecyn arbennig yma ac o ganlyniad y cafwyd yr enw Cestyll?

Yn ôl yr Athro Hywel Wyn Owen ystyr *cestyll* mewn enwau lleoedd ydy – 'tir caregog a nodweddir gan nifer o greigiau yn dod i'r brig, ac sy'n ymddangos fel tyrrau castell'. Cadarnhad o

Cestyll

hynny ydy bod castles yn ymddangos yn Lloegr hefyd gyda'r un ystyr. Cyfeiria'r Athro at ddau lyfr – *A New Dictionary of English Field Names* (gol. Paul Cavill 2018) tud. 65 sy'n cyfeirio at gae yn Gloucestershire o'r enw *The Castles*, ac yn cael ei egluro gan

Paul fel *heap of stones*. Mae *The Vocabulary of English Place-Names* (EPNS 2004) tud. 7-9 yn nodi bod castles weithiau yn cael ei ddefnyddio i nodi ffiniau, hynny ydy bod y cerrig hynny wedi'u gosod yn fwriadol.

Fe gadarnheir damcaniaeth yr Athro Hywel Wyn mewn darlith gan yr Athro Bedwyr Lewis Jones ar y testun – *Enwau Caeau*, cyfeiria at enwau caeau ac arwyddocâd iddynt – ffurf a siâp cae yn cynnig enw arno: *Cae Delyn* – ffurf driongl y cae ar ffurf y delyn. Dyma enghreifftiau eraill: *Weyn big, Rhosfain* a *Cae Pigfain* – y tri enw fel ei gilydd yn cyfeirio at ffurf y caeau. Dyma bwt o froliant i **Cestyll** yng nghatalog y sêl yn 1918 – 'Safle wych a golygfa odidog o greigiau prydferth'. Y creigiau oedd yr olygfa gyntaf a welir – creigiau prydferth a ymddangosai fel tyrau castell – yn arbennig felly gyda llwydnos. Mae digon o olygfeydd felly i'w cael ar hyd glannau Môn – ambell graig yn ymwthio uwchlaw'r wyneb ar ffurf Castell. Yn ddiddorol iawn dyma enw dau gae yng Nghafnan – fferm ar y terfyn: 'Cae Castell Mawr' a 'Cae Castell Bach'.

Ond beth bynnag am yr enw – i Violet Vivian yr oedd Cestyll yn rhodd werthfawr a buddiol ac yn llecyn delfrydol i sefydlu gardd arno. Bu Violet yng ngwasanaeth y Frenhines Alecsandra am chwarter canrif o 1901 hyd 1925 pan fu farw'r frenhines. Yn 1922 a hithau'n dal yng ngwasanaeth y llys dechreuodd gynllunio gardd yn nyffryn Afon Cafnan draw i'r gorllewin oddi wrth y tŷ. Yr oedd gardd eisoes yng Nghestyll a oedd yn gyfoed â'r tŷ ac yn nodwedd safonol o dai mawr y cyfnod. Yr oedd hon yn ardd o faint cymedrol o hanner acer yn adlewyrchu maint a statws y teulu a oedd i'w cynnal.

Yn 1925 ymddeolodd Violet a daeth Cestyll yn gartref iddi a hithau bellach yn dragwyddol rydd i dreulio'i byw yn yr ardd.

Ond er gadael Llundain yr oedd ei chyswllt a'i chyfeillgarwch â'r dywysoges Victoria'n dal a deuai'r dywysoges i'r Cestyll yn gyson ar ei gwyliau. Cynlluniodd Violet ei chreigardd led cae oddi wrth y tŷ, yr unig gyswllt â'r ddwy ardd oedd camfa. Symudodd i'r llecyn yma oherwydd ei fod yn fan ddelfrydol i greigardd – dyffryn afon Cafnan i'r gorllewin oddi wrth y tŷ yn gefndir cwbwl naturiol a'r nant yn ymdroelli'n brysur i draeth bychan gerllaw yr ochr arall. Yr oedd rhediad yr afon yn ganolog i gynllun yr ardd. Ceir ym mhatrwm yr ardd leoedd cwbwl naturiol yn ffurf a siâp y tirwedd ar lawntiau hyfryd yn nhroadau'r afon. Rhydd hen Felin Cafnan ychwanegiad gwych i'r darlun, fe saif honno yn furddun bellach am y terfyn â'r ardd. Dyma'r felinddwr olaf ar daith yr afon cyn cyrraedd y môr gerllaw.

Fe gymer gryn amser ac adnoddau sylweddol i ddatblygu ac i gyfarwyddo sgiliau deuddeg o arddwyr rhan amser a gyflogai Violet ar y dechrau i osod allan seiliau'r ardd. Ond fe wnaed y rhan fwyaf o'r tirlunio gan Violet ei hun. Mae'n amlwg ei bod yn ferch abal a gweithgar ac yn barod i dorchi llewys at waith. Fe wnaeth y plannu cyntaf heb unrhyw gysgod i'r planhigion, ond yn ddiweddarach fe ychwanegwyd llain-gysgodi o gonifferau i ffurfio palis cysgodol i'r ardd i gyd, maent yno hyd heddiw. Cymaint oedd awydd Violet i'w gardd fod yn llwyddiant fel y ceisiodd help y Royal Botanical Gardens yn Kew er sicrhau y cyngor gorau a'r planhigion mwyaf addas i'w gardd a oedd yn golygu cymaint iddi. Aeth i gryn lafur a chost i orchuddio'r graig noeth ar ochr orllewinol yr ardd â phridd a phlannodd gymaint â thair mil o blanhigion unflwydd bob blwyddyn gan greu gorchudd o liwiau llachar a oedd yn wledd i'r llygaid. Ceir ystod eang o blanhigion yn ei chreigardd a nifer helaeth yn llwyni a phlanhigion glan dŵr. Y mae ynddi nifer o goed addurnol hefyd, y mathau hynny a all ffynnu yn y dyffryn cysgodol. Mae'r dyffryn i gyd yn gyforiog o dyfiant o goed o gryn faint ac amrywiaeth eang o lwyni. Mae ynddi nifer o lwybrau cul yn troelli rhwng y llwyni ar draws lawntiau bychain ac ar hyd y nant. Mae'n syndod sawl cipolwg gwahanol a geir o'r môr yma ac acw o'r ardd a lle bynnag y trowch gwelir rhyw blanhigyn diddorol i dynnu sylw a golygfa newydd bob tro. Y mae'r afon a'r llwybrau yn ymdroelli drwy'i gilydd ac yn ychwanegu cymaint at batrwm yr ardd a'r cyfan mor naturiol.

Yr oedd y dywysoges Victoria yn rhannu diddordebau Violet yn arbennig y diddordeb mewn garddio. Roedd ganddi ddiddordeb neilltuol iawn yng nghreigardd y Cestyll. Y hi a gynlluniodd y lawnt gysgodol yn ne-orllewin o'r ardd. Bu'r ardd fechan hon yn adyniad poblogaidd iawn, nid yn unig ar gyfrif y cynllunydd ond hefyd oherwydd y blodau nodedig a dyfai ynddi – rhododendrons gwyn, asaleas a rhododendrons melyn ynghyd â choed addurnol. Erys y gornel arbennig hon o'r ardd yn goffadwriaeth i'r dywysoges Victoria ac yn arwydd o'i chyfeillgarwch â Violet a'i hoffter o Cestyll. Fe gadarnheir hyn gan i'r dywysoges arysgrifennu gwarel o ffenestr y llofft binc ac arwyddo ar y gwydr â diemwnt ei modrwy: *Thanks for lovely times had at Cestyll.*

Y mae'r gornel ogledd-ddwyreiniol o'r ardd yn llecyn cysegredig iawn, er bod yr oll o'r ardd yn gysegredig i Violet! Ar wyneb creigiau uwch ben y nant, gyferbyn â'r lawnt bicnic y mae plac i gofio am Violet Vivian a William Walter Vivian ei hewythr. Coflech blaen yw hi gyda llythrennau efydd, wedi ei gosod ar y graig. Taenellwyd llwch y Vivianiaid yn yr ardd gyfagos. Mae'n amlwg fod gan y teulu feddwl uchel o'r cŵn gan i dri ohonynt –

Uggie, Minnie a Susie gael eu claddu yn agos at fedd Violet a'i hewythr, gyda maen o'r Alban ar eu bedd i'w coffau.

Ar wahân i'w gweithgaredd yn yr ardd yr oedd staff o gryn faint gan Violet i ymorol amdanynt a threfnu gwaith. Cawn wedd arall ar gymeriad a phersonoliaeth Violet yn ei pherthynas â'i staff. Yr oedd ganddi ddawn ryfeddol i drin a thrafod pobol gan ffurfio cyfeillgarwch naturiol â phob gradd. Yr oedd Richard Leeming y bwtler yn gymeriad ecsentrig a gwahanol i bawb a ddeuai'n wreiddiol o Swydd Efrog. Yr oedd ei wisg a'i ymddygiad mor wahanol. Gwibiai ar ei feic uchel, yn gwisgo het silc yn wastad, hyd ffyrdd troellog culion cylch Tregele a Chemaes. Yr oedd yr adyniad ac yn ofn i'r plant, ond diflannai'r ofn pan welent lond ei hafflau o bethau da! Elai Richard i lawr i Borth y Felin yn ddyddiol am drochfa i'r môr. Gan fod Richard yn credu y dylid mynd i'r môr yn noethlymun ac y byddai'n sarhad ar neb wisgo un cerpyn i hynny. O ganlyniad fe brofai'r daith o'r Cestyll i Borth y Felin, er nad oedd ond ychydig lathenni, gryn broblem i'r bwtler. Er hwylustod gwisgai grys llaes a siaced-mul fawr flêr drosto yna llamu fel hydd am ddyfroedd y môr wedi diosg ei garpiau'n ddiseremoni ar y traeth. Eto, yr oedd yr Anrhydedd Violet Vivian a Richard Leeming yn deall ei gilydd i'r dim ac y byddai'r bwtler yn bur anhwylus ar adegau.

Fe roes Idwal Jones ei oes fel garddwr yn y Cestyll. Gŵr tawel bonheddig a gonest oedd Idwal, brawd i'r amryddawn Rolant o Fôn, y cyfreithiwr ffraeth. Ond bywyd tawel distaw yn yr ardd ddewisodd Idwal. Fe'i anrhydeddwyd gan Sioe Frenhinol Cymru am ei wasanaeth i Arddwriaeth dros ddeugain mlynedd. Yr oedd gan Violet feddwl y byd o'r pen-garddwr. Fu dim rhaid i Idwal grwydro'n bell i chwilio am wraig, fe ddaeth merch ifanc o'r Alban – Willielmia (Mina) fel cogyddes i'r

Cestyll. Mae'r ardd a'r gegin yn bur agos at ei gilydd ac fe ddaeth yn nes yn hanes Idwal a Mina, daethant yn ddigon agos iddynt drefnu eu priodas. Tra'n ddiwyd wth ei waith un bore clywodd Idwal besychiad ysgafn o'i ôl, er ei syndod safai'r Iarll Haig, mab Dorothea a Syr Douglas Haig a nai i Violet, wrth ei ymyl. Yr oedd Idwal a'r bonheddwr yn ddigon cyfarwydd â'i gilydd. 'Rwy'n deall dy fod ar hwyl priodi,' meddai'r Iarll. 'Ydwyf ymhen tri mis Syr,' atebodd Idwal. 'Wyt ti wedi meddwl am was priodas?' holodd y bonheddwr ymhellach. 'Roeddwn yn meddwl am ofyn i'm cefnder, er rwy'n bur amheus a gytunai,' atebodd Idwal. Bu bron iawn i Idwal druan â llewygu pan ddaeth sylw pellach yr Iarll – 'os oeddet ti meddwl gofyn i neb o'r tu allan mi fuaswn i yn hynod o falch o fod yn was priodas iti.' Yn ei ddychryn cytunodd Idwal, ac felly y bu! *Y garddwr a gafodd yr Iarll yn was priodas* – oedd pennawd y papur newydd a drysorir gan y teulu. Magodd Idwal a Mina fab a merch – Ian a Jane a chan fod tŷ'r garddwr ar diriogaeth y Cestyll cai'r plant gryn sylw gan Violet. Fel hen ferch o dras yr oedd gan Violet arferion gwahanol i'r cyffredin. Cai'r plant alwad i'r tŷ mawr yn gynnar ym mis Tachwedd bob blwyddyn i archebu eu dewis o anrheg Nadolig. Yna ar fore dydd Nadolig galwai'r plant i dderbyn eu hanrheg gan y foneddiges. Byddai cyflwyno'r anrhegion yn rhyw fath o seremoni dawel, sgydwad llaw a hanner moesymgrymu. Un bore'r Dolig yn ei chyffro estynnodd Jane ei llaw chwith i law ei anrhydedd – '*No Jane, your right hand always*' ebychodd Violet. Yno yn swyn a sŵn y môr, aroglau hyfryd y gerddi ac ambell gip ar y teulu brenhinol y magwyd Ian a Jane. Bu dau arddwr arall gydag Idwal, Richard Williams Glan'rafon, Cemlyn a oedd fel garddwr a chipar i ofalu am y gêm. Hugh Hughes yr Hald o ardal Rhydwyn oedd y llall yntau'n arddwr a sioffer. Yr oedd ceir y Cestyll yn beiriannau nodedig iawn ar ffyrdd yr ardal. Yr oedd gan Violet gar yn wastad a hi fyddai'n eu gyrru gan amlaf. Lanchester oedd y cyntaf – deuliw, du ac oren llachar, car llawer iawn rhy bwerus a chyflym ar gyfer ffyrdd gwyrgam pen draw Sir Fôn. Gyrrai Violet yn orwyllt gan gredu nad oedd neb ond y Lanchester mawr ar y ffordd, druan o'r beiciwr a'r cerddwr! Mae'n amlwg fod y car deuliw wedi gwneud argraff arbennig ar Ian, deil i gofio'i rif cofrestru EY5880. Car o'r un lliw – du ac oren oedd yr ail gar a gafodd Violet – Alvis ac iddo ben clwt. Yr oedd ffurf a sŵn yr Alvis yn amlwg ddigon mai car rasio oedd hwn. Os oedd y Lanchester yn rhy bwerus yr oedd yr Alvis yn llawer iawn rhy gyflym. Ond er ei gyflymed llwyddodd Ian i ddarllen ei rif – yr un rhif â'r Lanchester – EY5880. Yr oedd y trydydd car yr oedd Violet wedi dofi beth, bodlonodd ar gar unlliw du – Rover 75 gyda rhif newydd – EY6530. Pe cai'r ceir rhyw anhwylder, yn eu tro, doedd wahaniaeth yn y byd pa mor ddibwys, doedd neb i'w cyffwrdd ond mecanic o'r Anglesey Arms Garage ym Mhorthaethwy. Doedd neb arall yn deilwng i agor bonet ceir y Cestyll!

Ond yr oedd mwy i fywyd Violet nag ymlafnio yn yr ardd, er bod hynny wrth fodd ei chalon. Byddai yn ei hafiaith yn cymdeithasu a chroesawu ei chyfeillion i bartïon a swpera yn y Cestyll. Yr oedd partïon y Cestyll yn achlysuron hynod o boblogaidd a nodedig ac yn adyniad i'r crachfonedd symud i fyw i'r ardal neu gael ail gartref yno. Yn naturiol y Dywysoges Victoria oedd yr aduniad. Teulu Violet a fyddai ar ben rhaglen y gwahoddedigion. Dorothea ei chwaer a oedd bellach yn Foneddiges Woseley o'r Vaynol a'i brawd yr Arglwydd Vivian Bodmin o'r Plas Gwyn Pentraeth. Yna deuai'r bobol fawr leol –

Marcwis Môn, Bwcleaid Baron Hill, Duff Assheton Smiths y Vaynol, Douglas Pennant o'r Penrhyn ac yna y rhai ychydig is, boneddigion llai – y doctor lleol, y twrnai a pherson y plwyf a cheid weithiau rai o'r crachach dienw. Yn ôl y sôn mi fyddai'r Dywysoges Victoria'n troi a throsi'n gwbwl naturiol ymhlith y detholion hyn – merch i'r brenin Edward VII a chwaer i'r brenin Siôr V! Ar un o'r achlysuron hyn eisteddodd y Dywysoges wrth ochor person plwyf Llanbadrig, Y Parchedig William Richards, cymeriad hen-ffasiwn hynod o ddiddorol. Ar derfyn swper roedd hi'n arferiad i'r byddigion hyn arddangos eu blychau sigarét – dyma'r cyfnod yr oedd ysmygu yn llesol i iechyd! Agorodd Victoria ei blwch aur dan drwyn y person – '*Diawc no princess bach, you have one of mine for a change,*' meddai'r person yn acen y de gan estyn paced Woodbines grôt at y dywysoges.

Yn ychwanegol at y partïon a'r swpera ffurfiol yn y Cestyll fe drefnai Violet bicnic ac adloniant allan yn yr ardd i'r traphwysig yn unig. Yr oedd yng nghynllun yr ardd lecyn arbennig gwastad pwrpasol i gynnal picnic a gweithgaredd perthnasol. Yr oedd y lawnt neilltuol yma ar godiad tir y ceid golygfa odidog ar draws yr ardd ac allan i'r môr, oddi arno. Ond, y detholedig rai yn unig a geid braint o sangu ar y llecyn neilltuol yma.

Byddai Violet yn ymweld yn gyson â phentre Cemaes ac yn gwsmer yn y siopau amrywiol. Ar ei thro byddai'r Dywysoges Victoria yn ymuno efo hi. Gan fod cymaint o ymwelwyr a dieithriad ar y stryd a'r traeth yng Nghemaes yn ystod misoedd yr haf doedd merch y brenin ddim yn sefyll allan. Pan alwodd y Dywysoges yn Siop Robaits Victoria, fel ei gelwid, holodd y siopwr, yn fusnes i gyd, 'ac o le yr ydach chi Madam?' Yr oedd holi'r dieithriaid yn rhan o dacteg Robaits i ennill busnes. Daeth yr ateb, yn hollol naturiol gan y Dywysoges – *'I'm Princess Victoria'.* Heb gysidro, ar y funud, arwyddocâd yr ateb, meddai Robaits, *'wel diawcs i, I'm Robaits Victoria'.* Atebiad a oedd wrth fodd y Dywysoges!

Cadwai Violet gyswllt agos a chyson â'r cyhoedd, yr oedd yn gymdoges adnabyddus. Fel y deuai'r ardd i drefn fe drefnodd i rannu'i breuddwyd â'r cyhoedd ac agor yr ardd iddynt ddeuddydd o'r flwyddyn a chodi arian i'r Groes Goch. Cafodd Violet y fath foddhad yn cynllunio a sefydlu'r ardd a chafodd yr un boddhad yn rhannu'r ardd â'r cyhoedd. Wedi diwrnod gorchestol o waith bu farw'r Foneddiges Violet Vivian yn 1962 yn 83 oed a gwasgarwyd ei llwch yn ei chreigardd yn nyffryn Afon Cefnan. Ar ei marwolaeth etifeddwyd Cestyll gan ei nith, y fonesig Irene Astor – Barwnes Astor. Fe esgeuluswyd yr ardd wedi marwolaeth Violet hyd 1983 pan werthwyd yr holl eiddo i'r Bwrdd Cynhyrchu Trydan Canolog, fel yr oedd bryd hynny, ar yr amod bod yr ardd i'w chynnal a'i chadw er cof am y ddau aelod o'r teulu Vivian a oedd yn gyfrifol am ei chreu ac adferwyd yr arfer o agor yr ardd i'r cyhoedd. Yn dilyn y gwerthiant yn 1983 gadawyd y tŷ yn wag ynghyd â'r ardd gaerog a bwthyn y garddwr. Er diogelwch fe ddymchwelwyd y tŷ yn 1991.

Yn 1998 enwebwyd yr ardd fel Gardd dan *Gofrestr o Barciau a Gerddi yng Nghymru*. Dyma'r prif resymau dros y graddio – 'Mae hon yn ardd fechan bersonol anarferol o'r 1920au, wedi ei phlannu â phlanhigion tyner ac yn gweddu i'w safle creigiog ar lan y môr, a harddwch naturiol wedi goroesi'n dda. Cynlluniwyd rhan o'r ardd gan y Dywysoges Victoria, ffrind agos i berchennog yr ardd a'i chynllunydd, Violet Vivian.'

Cafodd yr ardd sylw arbennig ar Sianel 4 yn 2014 – mewn rhaglen – *Hidden Gardens* gyda'r amryddawn Penelope Keith yn cyflwyno a chafwyd llyfryn o hanes yr ardd gan Eirlys Mason ar ran *The Friends of Cestyll Garden.*

Dyna'r tri theulu a fu'n ailgartrefu ar Benrhyn y Wylfa ymhlith eraill ond y rhai hyn fu'r mwyaf nodedig. Bu'r teuluoedd hyn gyfryw ag iddynt adael eu henwau ar eu hôl, rhoesant eu nod ac ystyr newydd i'r enw *Wylfa*. I rai, dim ond ychydig bellach mae'r Wylfa yn dal yn gyfystyr â'r Manor, y plasty moethus. I eraill deil y Wylfa i olygu cantores operatig fyd-enwog, Rosina Buchman. Ond, teulu Cestyll gaiff y sylw mwyaf o hyd – teulu'r Vivianiaid, deil y genhedlaeth hŷn i sôn am y Dywysoges Victoria fel pe bai hi wedi bod yma ddoe ddiwethaf! Fodd bynnag, cydrhyngddynt bu i'r ailgartrefwyr hyn roi gryn sylw i'r penrhyn pellennig hwn fel y gallem ymffrostio, os y ceir *milltir y miliwnyddion* ar lannau'r Fenai yn Ne yr Ynys, mae yma yng Ngogledd yr Ynys *reng y miliwnyddion* ar Benrhyn y Wylfa!

Pennod 3

Dirwasgiad a Dau Ryfel

Gadawodd marwolaeth David Hughes ar Fawrth 12fed, 1904 gryn fwlch mewn byd ac eglwys a cholled enbyd ar aelwyd Winterdyne ar Lannau Mersi ac ar aelwyd ei ail gartref – Wylfa Manor yng Nghemaes. Er hyn, ni ddilëwyd enw'r llanc ifanc o Gemaes a garodd y pentref a'i magodd mor angerddol. Treuliodd hafau hapusaf ei fywyd, pump ar hugain ohonynt ar benrhyn y Wylfa – y man y bu cychwyn y daith. Breuddwyd David Hughes oedd cael ail gartref ar y llecyn arbennig hwn, ac fe sicrhaodd ei fod yn ddigon o faint i gynnwys teuluoedd y plant a phlant y plant.

Fe adawyd stad David Hughes mewn dwylo diogel iawn, ei ddau fab-yng-nghyfraith – Y Parch. John Williams, un o sêr disgleiriaf pulpud Cymru a James Venmore yntau yn un o wŷr mawr Môn, ac yn un o leygwyr mwyaf adnabyddus y Methodistiaid Calfinaidd. Yr oedd sŵn a swyn y diwygiad yn dechrau cyniwair drwy Gymru a chamodd John Williams gorff ac enaid i'r ymgyrch. Yr oedd James Venmore a'i draed yn eitha' diogel ar y ddaear yn trefnu ac yn aildrefnu stad David Hughes. Yr oedd ef yn un o'r cwmni enwog – *W. & James Venmore* – asiant gwerthu tai, a bu ei arweiniad yn rhyfeddol o werthfawr i drefnu'r stad. Yr oedd ei gyd fab-yng-nghyfraith wedi ymgolli'n llwyr yn y diwygiad a oedd yn siglo'r Ynys ac yn mesmereiddio'r bobol. Yr oedd pob pentref a thref yn ferw o ganu, gweddïo a phregethu. Yn ei frwdfrydedd fe lwyddodd John Williams i gael ei ddiwygiwr – Evan Roberts dros y Fersi i ddinas Lerpwl a fu'n gryn dreth ar y ddau ohonynt.

Ond yr oedd James Venmore yn fawr ei ofal dros yr ystad. Yr oedd y teulu bellach yn ymrannu'n ddwy gangen ac yn naturiol yn cynyddu a bellach fydde hi ddim mor hawdd rhannu'r gwyliau cydrhwng pawb. Mi roedd plasty o faint y Wylfa Manor yn hawlio cryn sylw mewn cynnal a chadw. Yr oedd y fferm hefyd yn gryn faich yn wyneb y dirwasgiad a oedd i'w deimlo drwy'r wlad. Yr oedd James yn ddigon craff i ddarllen arwyddion yr amserau ac nad oedd ateb i'r sefyllfa ond gollwng y fferm a gosod y tir i denantiaid dros gyfnod o flwyddyn. Trefnodd ocsiwn ar y stoc a'r celfi a hynny ar dipyn o frys, fyddo neb yn cynnal sêl fferm ym mis Chwefror – Gŵyl Fair – canol y tymor. Yr oedd yr Ŵyl hon yn digwydd hanner ffordd rhwng Glangaea pryd y rhoddid y gwartheg i mewn, a Chalan Mai pryd y troid y stoc allan i'r borfa. Byddai'r ffermwyr fel arfer yn mynd i'r ardd wair ar Ŵyl Fair yn gobeithio gweld o leiaf hanner y das wair ar ôl i barhau hyd ddiwedd y gaeaf. Nid dyma'r amser, yn siŵr, i neb fod am brynu rhagor o stoc, ond mae'n amlwg y synhwyrai James Venmore fod brys yn yr achos yma. Mi fyddai ocsiwn fferm yn achlysur poblogaidd a chymdeithasol, er y byddai rhai ohonynt yn achos cryn dristwch pan fyddai'r tirfeddiannwr yn gorfodi'r tenant i werthu'i stoc a'i gelfi er mwyn talu'r rhent. Mi fyddai'r Parch. Llewelyn Lloyd yn cael hwyl anghyffredin mewn pregeth yn sôn am Evan Drip, yr hen borthmon o Walchmai yn cyrraedd i sêl ffarm felly a'r ocsiwnïar yn gwerthu poni'r plant. Cyn iddo daro, mi waeddodd yr hen borthmon ei gynnig i brynu'r ferlen i'w chyflwyno'n ôl i'r plant, ac fe waeddodd y pregethwr am '*drugaredd mewn pryd*'!

Fe gyhoeddwyd arwerthiant y Wylfa ar y fferm gan John Pritchard yr arwerthwr ar Chwefror 12fed, 1912 gan nodi rhestr y stoc a'r celfi fferm. Cawn gipolwg diddorol yn y rhestr yma ar ffermio ar gychwyn yr ail ddegawd o'r ugeinfed ganrif:

Y gwartheg:
Wyth o fuchod llaeth; Tarw Cymreig tair oed o frid *Hirdrefaig(?)*, Llangefni. Tarw blwydd Cymreig; llo tarw; pump o fustych dyflwydd ac un heffer.
Saith o fustych deunaw mis oed; pump o heffrod blwydd; chwech o loeau

Defaid:
Chwech o ddefaid South Down tair oed brynwyd yn fferm y Brifysgol Bangor yn 1910; pum hwrdd South Down; hwrdd Wiltshire ac un South Down; deugain o ddefaid Cymreig; deg o ddefaid blwyddiaid croes – South Down a Wiltshire; deg o ddefaid Croes – Wiltshire a South Down.

Yna'r ceffylau a phob un â'i enw gan fod dipyn o gymeriad i'r ceffyl:
Mona: Caseg winau, un llaw ar bymtheg.
Lion: Ceffyl gwinau yn codi'n chwech oed ac yn bymtheg llaw.
Ebol car yn codi'n dair oed (di-enw)
Prince: Ceffyl gwinau un llaw ar bymtheg wyth oed.
Tom: Ceffyl gwinau un llaw ar bymtheg (Prince a Tom yn wedd wych).
Harnais a drags o bob math.
Wagonêt bedair olwyn gyda phen symudol i gario chwech o bobol.

Cert bach ysgafn (un ceffyl)
Cert Ci – car bach dwy sedd ac un ceffyl.

Amrywiaeth o beiriannau fferm modern.
Dau gert a fframiau arnynt.
Gearing Ceffyl (gwaith malu)
Tair acer o rwdins a mangols
Deg tunnell o wair (1910)
Pum tunnell ar hugain o wair (1911)
Tas o wellt (tua naw tunnell)

Gosod y tir gyda thenantiaeth o flwyddyn i flwyddyn.

Dyma'r caeau a'u mesurau:	a	r	p
Cae Porth Pistyll a Cae Ponciau	12	2	0
Cae Caseg, Daran (a sied)	12	0	17
Cae Fadog, Cae Tan y Bryn	11	2	4
Cae Llyn	6	3	33
Pant Ceirch	12	0	31
Wylfa Goch	13	0	29
Y Cae Ffrynt (gweirglodd)	36	0	0

Yr oedd trefniant y byddai cludiant i'w gael o orsaf Rhosgoch i neb a ddeuai ar y trên i'r ocsiwn ac fe ddarperid cinio am bris rhesymol. Yr oedd y trefniadau hyn yn brawf fod sêl ffarm yn achlysur hynod o boblogaidd ac yn gyfle i gymdeithasu.

Bu colli'r fferm yn gryn newid i deulu'r Wylfa a heb os fe gollent yr awyrgylch a chynnyrch y fferm. Ond dan yr amgylchiadau doedd dim amdani ond gollwng y fferm. Yn naturiol doedd gan y ddau fab-yng-nghyfraith ddim diddordeb mewn ffermio – pregethwr ac asiant gwerthu tai a phlentyn deuddeg oed oedd mab John Williams, John Merfyn Williams a ddewisodd ffermio fel gyrfa yn nes ymlaen. Mae'n debyg fod James Venmore yn synhwyro'r newidiadau a oedd ar droed ac y byddai'r problemau a flinai Ewrop yn siŵr o droi'n rhyfel ac y byddai Prydain yn ymuno â Ffrainc a Rwsia yn erbyn yr Almaen, Awstria a Hwngari, gwireddwyd yr ofnau ar Awst 4ydd, 1914. Bu effaith y rhyfel yn sylweddol ar Gymru, ymyrrai'r wladwriaeth ym mywydau pobol ar raddfa na welwyd moi debyg o'r blaen. Rheolid diwydiannau ac amaethyddiaeth yn arbennig gan fyrddau'r llywodraeth. Yn wyneb hyn yr oedd yn benderfyniad doeth ar ran James i adael y ffermio a cheisio canolbwyntio ar gynnal a chadw'r plasty yn y Wylfa.

Ond er colli'r fferm a'i chynhyrchion yr oedd gardd wych yn y Wylfa Manor ac aethant i ddibynnu mwy ar ei chynhyrchion. Yr oedd yr ardd yn rhan orchestol o dai'r mawrion y bedwaredd ganrif ar bymtheg a doedd Wylfa Manor ddim yn eithriad yn hyn o beth. Ceir disgrifiad o'r ardd yn ailargraffiad o'r Map Ordnans pum modfedd ar hugain o Fôn 1900. Yn ôl y map gardd y gegin a thai gwydr oedd hi. Mae'n ddiddorol sylwi fel yr oedd gan David Hughes feddwl mor uchel o'r neb a oedd yn ei wasanaeth, yr oedd yn eu hystyried fel rhan o'r teulu. Yr oedd y garddwr Thomas Williams, y bardd gwlad adnabyddus – Rhydfab yn un o'r teulu yn siŵr. Bu ef a'i dad – John Williams, Ty'n-gongl o'i flaen yn arddwyr yn y Wylfa dros gyfnod o flynyddoedd lawer. Yr oedd Rhydfab yn un o'r gwerinwyr diwylliedig hynny na chawsant odid ddim addysg ffurfiol ac eto yr oedd yn llenor a bardd cefn gwlad dygn. Yr oedd ei deyrnged i weddw'r Parch. John Williams yn batrwm o'i ddawn lengar. Byddai Rhydfab yn barod i ganu'n brydferth i achlysuron arbennig Cemaes ac yn arbennig i Gapel Bethesda.

Byddai ei longyfarchion i bob genedigaeth a phen-blwydd o'r bron a byddai'n siŵr o daro'r nodyn trist ar farwolaeth. Fe gyhoeddwyd peth o'i waith mewn llyfryn yn 1911 – *Odlau'r Rhyd*.

Gyda'r Rhyfel Byd Cyntaf yn torri yn 1914 yr oedd y wlad yn ferw gwyllt eto a'r diwygiad wedi oeri'n lludw. Yr oedd Cymru yr un mor barod i ymuno â'r rhyfel a'r Alban a Lloegr. Câi gwrthwynebwyr cydwybodol, yn gyffredinol eu trin yn reit anystyriol. Yn naturiol ddigon bu i flynyddoedd y rhyfel dorri ar batrwm gwyliau teulu Wylfa Manor. Yr oedd Lerpwl yn darged i'r gelyn efo'u dociau i dderbyn cynhaliaeth y wlad a doedd hi ddim yn ddymunol i neb adael ei gartref a cheisio gofalu am hwnnw heb sôn am geisio gofalu am ail gartref. Yr oedd pob byd a byd pawb yn newid. Yr oedd y dirwasgiad economaidd wedi'r rhyfel yn amharu'n drwm ar y dosbarth uchaf. Cododd toll marwolaeth mor uchel a threthi eraill yn prysuro tranc yr ystadau mawr. Cymaint oedd y wasgfa y bu raid i stadau mwyaf yng Nghymru werthu rhannau o'u heiddo. Gwerthodd y Bwcleaid rannau helaeth o diroedd y Baron Hill ym Môn. Yr oedd achos Plas Newydd beth yn wahanol, bu i'r Pumed Marcwis ychydig cyn ei farw yn 1915 wario £544.00 ar betheuach cwbwl ddi-fudd – gwariodd holl ffortiwn y teulu ar ddramâu, gemwaith, gwisgoedd a cheir oedd yn gwasgaru sent. Er hyn fe lwyddodd Plas Newydd i ddal eu gafael hyd 1932 cyn gwerthu'r ffermydd. Fe ddymchwelwyd Plas Penrhos yng Nghaergybi ac fe erys plasty Baron Hill ym Miwmaris yn adfail. Bu i Blas Newydd osgoi'r gwarth trwy gyflwyno'r rheolaeth i'r Ymddiriedolaeth Genedlaethol. Fe drawsnewidiwyd plasty'r Henllys Biwmaris yn westy moethus. Bu i deulu'r Meyrick Bodorgan a'r Brynddu Llanfechell lwyddo heb werthu. Yn naturiol ddigon mi fyddo gan y dirwasgiad ei ddylanwad ar Wylfa Manor ar benrhyn y Wylfa.

Daeth y rhyfel i ben yn 1918, rhyfel y collwyd deugain mil o Gymry ifanc. Ymroes y Parch. John Williams yr un mor eiddgar i'r rhyfel ac a wnaeth i'r diwygiad. Bu'n gefn ac yn gymhelliad i Evan Roberts ym mhob rhyw fodd a chyda'r un egni y bu'n llais treiddgar dros Lloyd George i recriwtio i'r gad. Oerodd y diwygiad a daeth y rhyfel i ben a John Williams wedi'i glwyfo gryn dipyn ar ei ysbryd a dichon y teimlai erbyn hyn nad oedd y rhyfel mor gyfiawn ac y tybiai. Fe sylweddolodd James Venmore fod rhaid rhoi ystyriaeth ddwys i stad y Wylfa, a oedd modd cynnal yr ail gartref mewn amgylchiadau mor anffurfiol? Cyn diwedd y ddegawd fe drefnwyd i werthu ystad y tir a'r adeiladau a Wylfa Manor. Trefnwyd i'w gwerthu'n breifat yn naturiol gan Gwmni W. & James Venmore – Lerpwl. Cyhoeddwyd taflen froliant nodedig yn rhoi disgrifiad manwl a llawn yn arbennig o'r plasty. Ond doedd yr hinsawdd economaidd ddim yn gyfryw i demtio neb i fentro'r fath faich – dyma flynyddoedd llwm y dau ddegau. Er y broliant proffesiynol gyda phob manylyn am y stad nodedig hon o blasty hardd a fferm o dros gant a hanner o erwau a chai'r prynwr gyfle i brynu'r dodrefn drudfawr yn eu lle yn y plasty. Mae'n amlwg na lwyddwyd i werthu gan i'r eiddo fod ar y farchnad eto yn 1921. Cyhoeddodd yr arwerthwyr William Dew ac R. Arthur Jones arwerthiant Stad y Wylfa yn Neuadd y Dref Caergybi bnawn Sadwrn Mehefin 11eg, 1921. Does gofnod yn unman y gwerthwyd y tro yma eto, ac fe gadarnheir hyn gan rai o'r teulu.

Yr oedd dechrau'r dau ddegau yn gyfnod anodd yn nannedd y dirwasgiad. Yr oedd yn gyfnod anodd iawn i'r ffermwyr – doedd dim sicrwydd prisiau iddynt ac roedd hi'n flynyddoedd yr un mor anodd i'r gweision. Disgynnodd prisiau i'w lefel isaf ers 1915 a disgynnodd cyflogau'r gweision o 45 swllt yr wythnos i 28 swllt. Dyma ddirwasgiad a oedd i bara am bymtheng mlynedd hyd hanner olaf y tridegau. Pwy a fyddai am brynu fferm o faint y Wylfa ac yn siŵr blasty o safon Wylfa Manor? Ond yr oedd James Venmore yn ddigon profiadol a chryf i beidio â gollwng etifeddiaeth y teulu am grocbris.

I wneud y sefyllfa'n waeth fyth yn hanes y Wylfa, ar Dachwedd 1af, 1921 bu farw y Dr John Williams, un o sêr disgleiriaf pulpud Cymru yn machlud a'r wlad yn galaru. Bu ei farwolaeth yn sgytfa i'w deulu'n arbennig ac i deulu'r Wylfa. Y fo oedd y cyswllt cryfaf â Sir Fôn ar ôl colli David Hughes. Gadawodd weddw ieuanc – Edith Mary yn troi ei hanner cant oed a thri o blant oddeutu'i hugain oed, Dilys, Merfyn ac Efrys(?). O golli'r tad yn naturiol fe gollodd Sir Fôn lawer o'i gogoniant i'r fam a'i thri phlentyn. Blynyddoedd llwm fu'r dau a'r tri degau dan ddyrnod y dirwasgiad a bylchog fu'r gwyliau yn y Wylfa. Ond erbyn hanner olaf y 1930au yr oedd trwst cerddediad ym mrig y forwydd yn arwydd o ryfel eto. Fe deimlwyd effaith ailarfogi a gwelliant yn y fasnach ryngwladol.

Fe gyhoeddwyd yr Ail Ryfel Byd ym mis Medi 1939; beth fydd hanes stad y Wylfa yn awr tybed, ai hon fydd y ddyrnod olaf i ail gartref yr Hughes a'r Venmores? Yr oedd Ynys Môn yn weddol ddaearyddol ddiogel a manteisiwyd ar hynny i adeiladu ffactrïoedd ar gyfer angenrheidiau'r rhyfel. Defnyddiwyd Maes Awyr y Fali gan awyrennau bomiau trymion; adeiladwyd Maes Awyr Mona ar gyfer ymarferion ac roedd porthladd Caergybi yn fâs pysgotwyr ffrwydron. Meddiannodd Unedau'r Fyddin Blas Penrhos, Plasty'r Baron Hill a'r Gadlys yng Nghemaes yn ysbytai milwrol. Bu i'r Swyddfa Ryfel synhwyro fod Ystad y

Wylfa yn llecyn delfrydol i ddibenion y Rhyfel a fyddo neb allai sefyll yn eu ffordd. Pwy yn amgenach na James Venmore, 'y prisiwr a'r gwerthwr tai ac eiddo', i fynnu'r pris uchaf am y gilfach nodedig hon wrth y môr? Daeth Stad y Wylfa a'r ail gartref moethusaf ar Ynys Môn yn eiddo, dros dro i'r Swyddfa Ryfel ac i ddibenion y rhyfel. Tybed ai dyma'r ddyrnod olaf i'r llecyn prydferth hwn? Pryderai amryw y byddai hunaniaeth Cymru yn cael ei ddinistrio gan i'r Swyddfa Ryfel feddiannu ardaloedd helaeth o gefn gwlad Cymru ac yn arbennig gan ddylifiad o ffoaduriaid o ddinasoedd Lloegr. Yr oedd dulliau'r ymladd y rhyfel hwn mor ddidostur trwy fomio sifilwyr o'r awyr. Mi gododd hyn y fath anniddigrwydd ymhlith pobol. Yr oedd cymaint â phymtheg mil o bobol wedi symud i Gymru adeg *Argyfwng Munich* yn 1938. Bwriadodd y Llywodraeth symud cymaint â phedair miliwn o famau a phlant o Loegr er eu diogelwch. Y ffoaduriaid oedd un o nodweddion hynotaf yr Ail Ryfel Byd. Ond ni chafodd y cynllun cyfan ei gyflawni, dim ond traean a symudwyd ac yr oedd hynny yn gryn chwyddiant i'r boblogaeth ac yn ddylanwad amlwg yn arbennig yng nghefn gwlad Cymru. Yr oedd y rhan fwyaf o Gymru fel *Ardal dderbyn* ac roedd penrhyn y Wylfa yn rhan o'r ardal honno. Bu i Gyngor Lerpwl feddiannu, dros dro, Wylfa Manor a rhannau o'r gwersyll milwrol ar y safle i'r ffoaduriaid. Aeth y plasty moethus yn ddinas noddfa i blant bach o ardaloedd tlotaf y ddinas – Glannau Merswy a Manceinion. Mi roedd hi'n nefoedd ar y ddaear i'r noddedigion hyn yn y fath foethusrwydd ac eto mae'n debygol iawn y byddo hiraeth arnynt am adre llwm a thlawd. Beth tybed fyddo David Hughes yn ei feddwl fod ei ail gartref yn gysgod i blant di-nam o'r ddinas y bu ef yn gymaint rhan o'i hadeiladu?

Ond cyfrifoldeb Pwyllgor Addysg Lerpwl oedd y ffoaduriaid

ac yn naturiol yr oeddynt yn ymorol am eu haddysg a'u hiechyd. Bu iddynt anfon Nyrs drwyddedig i fod â gofal amdanynt a phwy yn well na merch a fagwyd yng Nghemaes – Isabella Emilie Garner ond Anti Bella i'w chydnabod. Yr oedd hi'n gymwys ei gwaith a'r cyfrifoldeb. Yr oedd yn Nyrs raddedig – SRN; SCM; HV o Ysbyty Brenhinol Lerpwl. Yr oedd hi'n Nyrs Ysgol ac yn Ymwelydd Iechyd i'r ffoaduriaid yn y Wylfa a Chafnan a bu hefyd yn Arolygydd Bydwragedd i Sir Fôn dros dro yr un cyfnod.

Yr oedd Isabella yn hanu o ddau deulu pur enwog o Gemaes – teulu Syr Owen Thomas Carrog a theulu'r Storws (Store House). Bu i'w mham Emilie Thomas briodi â llongwr o Lerpwl – Walter Stephen Cunningham a chan ei fod ef oddi cartref ar y môr fe ddaeth teulu Isabella a'i mham i fyw i Gemaes – Teras Tre Gof. Llwyddodd Isabella a chyn bod yn ddeg ar hugain oed yr oedd yn Fydwraig Breifat. Priododd ym mis Rhagfyr 1936 ac erbyn mis Medi 1938 yr oedd yn weddw gyda'i mhab Peter. Ar doriad y Rhyfel yn 1939 fe ddaeth yn ei hôl i Gemaes mewn swydd gyfrifol yn ymorol am y ffoaduriaid.

Erbyn Mawrth 1942 yr oedd athrawon mewn canolfannau arbennig yn dysgu'r dieithriaid hyn. Yr oedd yr athrawon yn dysgu cymaint â 926 o'r 1,386 o'r ffoaduriaid a oedd ar yr Ynys. Yr oedd Ysgol Sir Caergybi yn rhedeg dau ddaliad y byddai'r plant lleol yn cael eu gwersi yn y bore ac yna'r ffoaduriaid yn y prynhawn. Yr oedd y ffoaduriaid mewn pentrefi cefn gwlad yn ymdoddi'n hwylus i'r gymdeithas ac yn dysgu'r iaith heb fawr o drafferth. Mi fyddai rhai ohonynt a oedd yn lletya yng Nghafnan yn mynd i Ysgol Sul yng Nghapel Cemlyn gerllaw ac yn canu *Iesu Tirion* cystal â'r plant lleol. Yr oeddynt wedi pwrcasu Testamentau dwyieithog yn un o gapelau'r Benllech.

Bu'r blynyddoedd o fis Hydref 1939 hyd fis Chwefror 1944

Ugain o ffoaduriaid wrth ddrws Cafan, gyda'u nyrs drwyddedig yn y cefn ar y chwith, yn ôl ei siwt swyddogol a'i het ddu!

y pum mlynedd hapusa' bywyd Isabella Garner er eu bod yn flynyddoedd blin rhyfel creulon a phrinder a phryder ar bob llaw eto fe rannodd ei bywyd efo'r dieithriaid a bod yn fam a thad i Peter ei phlentyn ei hun. Pwy ddwedodd deudwch: '*Life is given us, we earn it by giving it.*' Chafodd Anti Bella fawr o amser i feddwl na phoeni am ei gofidiau ei hun, yr oedd ei gofal am eraill yn gymaint. Y mae un hanesyn, ymhlith llaweroedd, sy'n ddarlun o'r ffoadur a chymeriad y Metron. Ar un o'i dyletswyddau gorchmynnodd y Nyrs i blentyn dynnu ei fest er mwyn iddi ei archwilio. Ond na, fynnai'r bychan er dim dynnu ei grys isa. Doedd dim swildod ar ei gyfyl, ond pam? Pwysodd y warchodwraig yn garedig arno. Yn y diwedd atebodd y ffoadur bach – '*Can't Miss, me mum has sewn me up for winter.*' Yr oedd y fam wedi pwytho'i drôns a'i fest efo'i gilydd i'w aeafu'n gynnes tan y gwanwyn! Chwarae teg i'r fam honno, tydan ni ddim i gyd yn byw yn yr un ffordd.

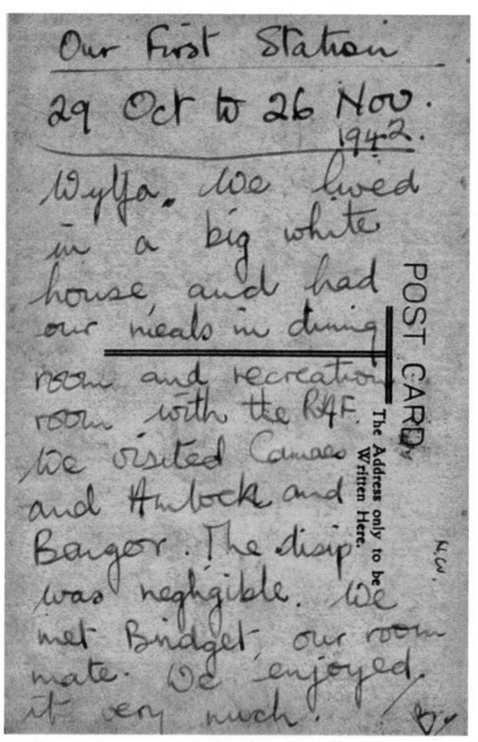

Our First Station
29 Oct to 26 Nov. 1942.
Wylfa. We lived in a big white house, and had our meals in dining room and recreation room with the RAF. We visited Camaes and Amlock and Bangor. The discip was negligible. We met Bridget, our room mate. We enjoyed it very much! / B.

POST CARD
The Address only to be Written Here.

Cerdyn a anfonwyd gan un o'r ffoaduriaid yn mynegi eu rhyfeddod at 'a big white house'.

Mae hi'n amlwg y cafodd Peter yntau bum mlynedd o blentyndod hapus ac yn dal i gofio wedi'r holl flynyddoedd storïau difyr am y noddedigion hyn. Mae'n amlwg y bu i Peter adrodd rhai o'r storïau i'w blant a chafodd argraff gymaint nes i Sera ei ferch alw ei chi yn *Wylfa*; does yr un ci arall yn y wlad Sera, o'r enw yna!

Ond nid lletya'r ffoaduriaid fu unig ddiben y Wylfa i'r Swyddfa Ryfel, yr oedd y llecyn hwn yn fan pwysig iawn i ddibenion eraill ynglŷn â'r rhyfel. Yr oedd rhan helaeth o fôr Iwerddon yng ngolwg penrhyn y Wylfa a dyma ran o gwrs llyngesau osgordd masnachol a oedd yn cario bwyd o'r Amerig i ddociau Lerpwl. Dyma'n siŵr un o brif dargedau'r gelyn, gan mai hon oedd un o linellau bywyd y wlad. Mae'n debyg fod y Swyddfa Ryfel wedi llygadu'r safle yma cyn 1939 gan bwysiced ydoedd. Dyma fan ddelfrydol i gael Radar – y ddyfais ryfeddol honno a ddefnyddiai droedfeddi'r radio i leoli gwrthrych ac a benderfynai ei safle a'i bellter. Adeiladwyd rhyw hanner cylch o adeiladaeth ar ffurf cromen yn debyg i fyncer yn ymestyn o blasty'r Wylfa i Porth Pistyll. Yr oedd y radar – y llygaid cuddiedig, yn darganfod a datgelu awyrennau'r gelyn a'i llongau tanfor ar hyd glannau'r Gogledd. Yr oedd y radar yn llifoleuo'r awyr a chyda dirgryniadau tonfeddi'r radio yn codi eco o unrhyw berygl a fyddai ar lwybr y llongau ac yn ei ddangos yng ngorsaf y radar. Yr oedd pedwar mast uchel wedi'u cysylltu â'r radar, dau ohonynt ar benrhyn y Wylfa a dau ar safle'r Galan Ddu. Adeiladwyd gwersyll milwrol o gryn faint ar y penrhyn i gartrefu'r Royal Welsh Fusiliers a oedd yn gyfrifol am adeiladu'r radar. Yr oedd yn waith arbenigol ac yn hynod o gyfrinachol. Yr oedd tri arbenigwr yn gofalu am orsaf y radar ac fe erys enwau dau ohonynt yn annwyl iawn yng Nghemaes. Gwyddel o Iwerddon oedd Pat Egan, cymeriad hynod o hoffus, daeth yn un o drigolion Cemaes cyn dim. Dysgodd yr iaith drwy ei gwrando a'i defnyddio'n wastad. Priododd Pat ferch o Gemaes a daeth yn nes eto at y gymdeithas yma. Merch Broctol y Penrhyn oedd Peggy Parry ac yma yng Nghemaes y buont yn byw. Gŵr o Gernyw oedd yr arbenigwr arall – William Henry Newton. Dewisodd yntau ferch o Gemaes yn gymar bywyd – Margaret, merch y Vigour. Daeth Bill, yntau fel Pat yn un o 'hogia Cemaes'. Yn ychwanegol daeth yr Awyrlu Brenhinol yma i'r Wylfa a throi cartref y gantores fyd enwog – y Galan Ddu yn

Orsaf Radio. Cydrhwng bawb yr oedd y Wylfa wedi'i feddiannu'n llwyr gan y Swyddfa Ryfel gan greu yno rhyw weithgareddau dieithr a chyfrinachol.

Daeth y Rhyfel i ben yn 1945 gan adael patrymau bywyd ar yr ynys fel ym mhob rhan o'r wlad wedi'i newid gryn dipyn, newid yr hen ffordd o fyw. Yr oedd diweithdra wedi diflannu bron yn llwyr. Gadawodd rhai cannoedd Gymru i Loegr llawer ohonynt yn ferched a orfodwyd i fudo gan y llywodraeth. Daeth cyflogaeth merched yn gyffredinol, cododd safonau byw y dosbarth gweithiol ac erydwyd y gwahaniaethau dosbarth. Mi fyddo'r cyfnewidiadau hyn o ganlyniad i'r rhyfel ac yng nghwrs naturiol amser yn mynd o raid i lywio penderfyniad teulu'r Wylfa wrth ystyried unwaith eto beth i'w wneud efo Stad y Wylfa. Cyflwynwyd y stad yn ôl gan y Swyddfa Ryfel wedi cryn ddirywiad i'r fferm a'r plasty. Mi fyddo'r gost i adfer Wylfa Manor a'r fferm i'w gogoniant a fu yn afresymol. Ond mi fyddo mor anodd gollwng yr etifeddiaeth a fu'n gymaint o bleser a mwynhad i'r teuluoedd – gwerthu breuddwyd David Hughes! Mae'n wir i James Venmore sicrhau cael ei ddigolledu'n llawn iawn gan y Swyddfa Ryfel, ond yr oedd adfer yr hen ogoniant yn golygu mwy na chost. Yr oedd ffordd o fyw pobol wedi newid a rhyw wahaniaethau dosbarth wedi gwastatáu ac erydu. Fyddo dim modd bellach cael digon o wasanaethyddion i gynnal y bywyd fel yr oedd yn Wylfa Manor. Fyddo neb bellach am brynu Wylfa Manor i fod yn ail gartref. Ond doedd wiw gadael y lle i ddirywio? Erbyn hyn Arthur Venmore, mab James Venmore oedd â'r cyfrifoldeb ar ran y teuluoedd. Mae'n debyg drwy ei gyfeillgarwch â William Parry, Cemaes Fawr, ffarmwr cefnog y cafwyd cwsmer i'r Wylfa. Yr oedd William Parry ar wahân i feddiannu eiddo ym Môn yr oedd ganddo gryn eiddo yn Lerpwl a dichon mai trwy Gwmni'r Venmores y bu iddo'i phrynu. Yr oedd y ddau, William Parry ac Arthur Venmore, yn flaenoriaid yng Nghapel Bethesda Cemaes ac ar un o'i deithiau i Balesteina fe ddaeth William Parry â dŵr o Afon yr Iorddonen i fedyddio Ann, merch fach Arthur Venmore yn 1933. Yr oedd y ffarmwr yn sgut am fargen, ond go brin bellach ac yntau'n tynnu 'mlaen mewn oedran a'i iechyd yn gwanhau, fod ganddo stumog i fferm fawr a phlasty. Haws credu mai Beti ei wraig a oedd flynyddoedd yn iau nag ef, oedd yn awchu am gadw gwesty moethus hardd. Fodd bynnag fe werthwyd y Wylfa, yr holl ystad y fferm a'r plasty. Yn sicr ddigon doedd gan Willie Parry ddim awydd am y tir ac yntau newydd ymddeol o fferm o gryn faint. Gosododd y ffarm i John Williams Y Gromlech y tir ac adeiladau fferm a rhoes Wylfa Manor i Beti'r wraig. Tenantiaeth o flwyddyn i flwyddyn gafodd John Williams a bu'n gyfle i William y mab ddechrau byw i werthu llaeth gyda'r beudái hwylus a chafodd ef a'i briod Kitty gartref cysurus yn Lodge y Wylfa i fagu David y mab.

Wedi'r holl draul ar Wylfa Manor bu raid i Beti a William wario'n drwm i'w gael i drefn a'i droi'n westy crand. Yr oedd y Gwesty ar gyfrif ei safle a chymeriad yr adeilad yn atyniad i ddosbarth arbennig o ymwelwyr. Ond clafychu'n raddol yr oedd Willie Parry a theimlo'r lle yn mynd yn faich fwyfwy bob dydd. Cwta ddwy flynedd fu arhosiad y ddau yn y Wylfa o ddiwedd 1945 i 1947. O ble y daw cwsmer y tro hwn tybed? Cwestiwn a oedd yn gryn bryder i Willie Parry. Ond fe ddaeth ymwared o le annisgwyl iawn – o gyfeiriad y gwesty ac nid o gyfeiriad y fferm.

Pennod 4

Y Ffermwr Olaf

O'i hanfodd y cytunodd Beti Parry â dymuniad ei phriod i werthu'r Wylfa Manor a'r fferm er nad oedd ond dwy flynedd gwta er ei brynu. Dichon fod Beti hithau yn teimlo oddi wrth y trymwaith o gadw Gwesty o'r safon yna. Yr oedd oedran ac iechyd Willie Parry yn dipyn o bryder iddynt, ond pwy fyddo'n barod i brynu lle o'r maint. Doedd y Gwesty ddim wedi cael ei draed dano i ddangos unrhyw lwyddiant mewn cyfnod mor fyr a doedd y fferm ychwaith ar ei gorau wedi holl ffagio gan y fyddin am well na phum mlynedd. Ond daeth ymwared o le annisgwyl eto.

Daeth ymwelwyr o Fanceinion i'r Wylfa, teulu o bedwar, dau o blant a thad a mam, mewn car rhyfeddol o grand. Yr oeddynt newydd adael eu llety yng Nghemaes am nad oedd hwnnw i fyny â'i safon. Iseldirwr oedd y tad – Joseph Van Gelderen, adeiladwr llwyddiannus yn Dunkerley Avenue, Failsworth, Manceinion. Yr oedd ar drydedd genhedlaeth o fewnfudwyr o'r Iseldiroedd. Yr oedd ei dad a'i daid yn ddeintyddion. Magwyd Joseph ym Manceinion ac yno y bu yn gweithio yn ystod y 1930au fel adeiladydd, ef a'i

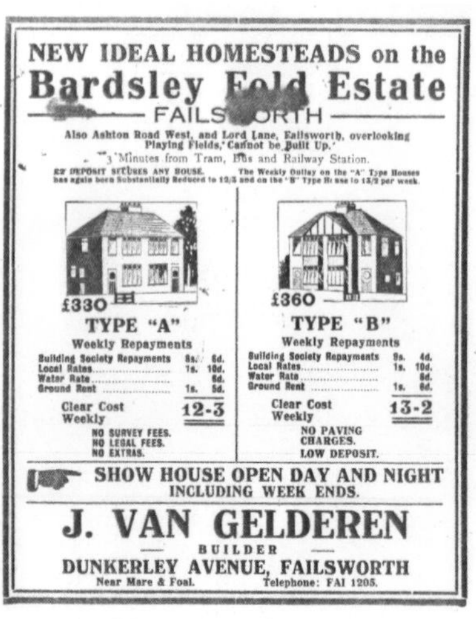

J. Van Gelderen fel adeiladydd cyn dod yn ffermwr

frawd yn llwyddiannus iawn. Yr oedd yn berchen dau gant o dai drudfawr yn y ddinas honno. Cafodd ei hyfforddi'n delegraffydd a'i gofnodi yn 1918 fel gweithredydd radio trwyddedig o'r Swyddfa Bost. Yr oedd Helen Sowerbutts ei wraig ac yntau yn ymddiddori mewn cerddoriaeth glasurol. Roedd ganddynt eu cerddorfa eu hunain a'r ddau yn rhan ohoni hi. Yr oedd Helen yn gryn feistr ar y sielo a'r sacsoffon ac wedi chwarae mewn cerddorfeydd pur enwog. Yr oedd iddynt ferch a mab, Kincha a Leon.

Yr oedd Beti Parry braidd yn bryderus o ddeall nad oedd y llety yng Nghemaes i fyny â'i gofynion. Ond yn gwbwl i'r gwrthwyneb fu erioed deulu mwy bodlon a chanmolus o'r llety. Safodd y pedwar wrth ffenestr fawr y stafell wely i weld Ynys Môn, bron i gyd, gweld Ynys Manaw a gweld y môr yn rhannu'r ddwy ynys. Syfrdanwyd y pedwar â'r fath olygfa gan sefyll yno mewn mudandod llwyr. Doedd taw ar eu canmoliaeth wedi pryd o fwyd yn yr ystafell fwyta foethus. Yn wahanol i ymwelwyr eraill doedd gan y Van Geldereniaid ddim diddordeb yn yr Ynys a lleoedd hanesyddol o bwys i ymweld â hwy. Cerddai'r pedwar yn hamddenol i fyny ac i lawr y rhodfa yng nghysgod y coed yn troi cylch ogylch y plasty a mwynhau'r olygfa oddi ar y clogwyni. Rhyfeddai'r plant at yr anifeiliaid ar y fferm ac yno y treulient eu hamser. Ac er eu bod yn byw mewn dinas fel Manceinion doedd ganddynt fawr o ddiddordeb yn y traeth ychwaith er bod traeth preifat i Wylfa Manor. Ond wedi cinio un min hwyr fe dorrodd yr argae, holodd Joseph am y *boss,* chwedl yntau. Cyn i Willie Parry gael cyfle i ddyfalu beth ar y ddaear fawr oedd o'i le, '*name your prize for the whole of this Estate*' holodd Joseph. Yr oedd William Parry yn brofiadol iawn mewn prynu a gwerthu eiddo ac yn ddigon o hen lwynog yn ei fargeinio. Er ei fod bron torri'i fol isio gwerthu, doedd wiw dangos hynny i'r Iseldirwr. Yr oedd Joseph yn aflonydd yn disgwyl ateb ac amlwg ei fod yntau'n awyddus iawn i brynu ac i symud cryn faich oddi ar ysgwyddau William Parry. Fodd bynnag fe gytunwyd ar y pris a chafodd yr Iseldirwr a'r Cymro eu boddhau yn fawr iawn. Daeth y teulu o Fanceinion draw i Fôn am dipyn o wyliau yng ngwynt y môr, dychwelasant yn berchen stad fechan yng nghwr eithaf Ynys Môn! Symudodd Willie Parry a Beti i Fae Trearddur i dawelwch y môr yr ochor arall i'r ynys ac yno y bu farw William Parry ymhen y flwyddyn – yn 1948.

Agorwyd pennod newydd yn hanes y Wylfa a chysylltwyd enw newydd a dieithr â'r lle ac fe ddeil y dosbarth hŷn o hyd i sôn am Van Gelderen y Wylfa. Doedd gan Joseph mo'r syniad lleiaf am ffermio, dibynnai yn gyfangwbwl ar gyngor a chyfarwyddid cymdogion ac yn fwyaf arbennig ar lyfrau, ffarmwr llyfr oedd Joseph Van Gelderen yn anad dim arall. A go brin fod gan Helen ei wraig rhyw lawer o syniad am gadw gwesty. Ond mi fentrodd y ddau hi, yn naill i'w faes a'r llall i'w chegin.

Mi fu'r Nadolig cyntaf i'r teulu yn Wylfa Manor nid yn unig yn achlysur i ddathlu'r Ŵyl ond hefyd i ddathlu eu cartref newydd. Gwahoddwyd aelodau lawer o'r teulu a llaweroedd o'u cyfeillion, ac yn eisin ar y deisen, megis, yr oedd y Dolig hwnnw (1947) yn Ddolig Gwyn! Gan fod cymaint o blant ymhlith y gwahoddedigion rhaid oedd cael Coeden Nadolig. Roedd y goeden yn ddeg troedfedd ar hugain o uchder wedi'i phlannu mewn hocsed gwrw enfawr yn y brif fynedfa. Yr oedd yn cyrraedd hyd at landin y trydydd grisiau a'i changhennau gwyrddlas yn sgubo'r grisiau ar ei ffordd i fyny. I bwrpas goleuo'r lle yr oedd Joseph wedi prynu generator pwerus iawn KVA

Mae'n amlwg mai ceffylau oedd diddordeb pennaf y teulu ar y fferm

(gornifer y fyddin) ac wedi ei sicrhau ar stondin saith troedfedd o uchder yn y seler. Yr oedd hwn yn ddigon pwerus i oleuo pentref Cemaes ac yn bwysicach fyth, i oleuo'r Goeden Nadolig. Fu erioed y fath addurniadau i groesawu'r Nadolig ac i ddathlu'r Ŵyl ac i ddathlu'r Dolig cyntaf yn eu cartref newydd. Yr oedd gan Santa wisg newydd sbon a'i locsyn claerwyn yn hytrach na rhyw fwng o flewiach blêr arferol. Yr oedd yn noson dawel braf a'r eira'n tangnefeddu'r wlad. Cyn i'r teuluoedd fynd i gadw'r noson arbennig honno bu i Joseph gerdded y ferlen a'r cerbyd i fyny'r rhodfa i adael ôl ei thraed ac olwynion ar yr eira gwyn, wyddai plant bach ddim gwahaniaeth rhwng traed y ferlen a thraed y carw! A dyna ryfeddu fore drannoeth nid yn unig hosanau llawn o anrhegion ond arwydd amlwg o gerbyd Santa a'i geirw. Pwy fyddo'n meiddio amau am funud fodolaeth yr hen ŵr mwyn. Roedd y darlun mor fyw a real fel yr holodd rhywun Leon y mab, beth feddyliai o Santa wedi ffeindio'i gartref newydd. Ond yr oedd un dirgelwch i Leon sut ar wyneb y ddaear yr oedd sbotiau paent ar ei esgidiau yn yr un fan yn union ac ar esgidiau ei dad!

Ond er mor fawreddog a moethus oedd aelwyd Wylfa Manor mae'n debyg mai'r fferm fu atyniad cyntaf Joseph Van Gelderen, digon iddo adael busnes adeiladu ffyniannus ym Manceinion. Mae'n debyg ei fod y math hwnnw o gymeriad a oedd yn hoff o sialens a mentro'r newydd a'r dieithr. Bu dyfodiad y teulu yma yn agoriad i bennod newydd yn hanes y Wylfa. Mae'n amlwg fod Joseph yn ŵr pur gefnog y modd y dechreuodd stocio'r fferm. Aeth i farchnad enwog Caeredin yr Alban i brynu buches Swydd Aeron a honno'n fuches pedigri. Yr oedd hon yn fuwch galed hawdd i'w chadw, y hi a'r fuwch byrgorn a ddaeth i ddisodli'r fuwch ddu Gymreig, er bod ffermwyr Môn yn reit gyndyn o gefnu ar honno. Yr oedd Van Gelderen yn methu'n lân â deall arferion y farchnad anifeiliaid, ymffrostiai y cai gost ei docyn trên o Sir Fôn i'r Alban mewn lwc wrth brynu'r gwartheg. Heb os mi roedd pris y fuches bedigri yn siŵr o fod yn uchel iawn. Fe ddaeth gwerthu llaeth yn rhan bwysig o ffermio ar ôl yr Ail Ryfel Byd, aed ati i adnewyddu'r beudai a chodi llaethdai newydd. Yr oedd llaethdy a beudy o safon uchel iawn yn y Wylfa ac er mwyn cael y gorau o'r fuches fe ddechreuodd Joseph Van Gelderen eu godro deirgwaith y dydd yn hytrach na dwywaith yn ôl yr arfer. Mae'n debyg mai ef oedd y cyntaf yn Sir Fôn i odro deirgwaith. Yr oedd danfon y llefrith i gwrdd â'r lori laeth yn arferiad cymdeithasol iawn. Fe geid stondin a rennid cydrhwng y ffermydd a'r tyddynnod, stondin wrth Penlon, ar y groesffordd rhwng Cemaes a Thregele oedd stondin y Wylfa. Fe ddaeth y stondinau hyn yn fannau cyfarfod pwysig iawn i'r ffermwyr, yno boed hi dywydd y bob y mwynhaent sgwrs a chellwair dyddiol. Mi allwn ddychmygu ffarmwr y Wylfa yn dod â'i gyfrif mawr o ganiau llaeth. Ond nid y caniau a gafodd y sylw ond yn hytrach y cerbyd a'i cariai – Land Rover, a honno'n newydd, tybed ai hon oedd y gyntaf yn y Sir? Mae'n debyg y creodd y cerbyd newydd beth pellter rhwng y ffarmwr newydd a gweddill cymdeithas stondin Penlon!

Ond, yn anffodus daeth anffawd i fuches y Wylfa, fe gollodd gymaint â phump o'r buchod drudion wedi codi darnau o fân weirs ar ôl byrnu'r gwair. Yr oedd Joseph wedi prynu boiler ar y cyd â'i gymydog, Owie Jones, Cafnan. Dichon fod yna ddarnau o fetalau adawyd gan y fyddin yno hefyd. Fodd bynnag bu colli buchod yn ddigon iddo droi cefn arnynt. Aeth at ei gymydog, Richard Hughes Tre Gof, i chwilio am gyngor. Cadw defaid Cymreig oedd cyngor ei gymydog a chytunodd brynu digon iddo yn sêl ddefaid Dolgellau, lle yr arferai brynu iddo'i hun yn rheolaidd. Yn naturiol bu i'r golled hon beri i Joseph golli peth diddordeb yn y ffermio. Onid dysgu derbyn a dygymod â cholledion yw un o gyfrinachau'r ffermwr, ond doedd yr agwedd meddwl honno ddim yn eiddo i Joseph Van Gelderen.

Yr oedd canol y pedwardegau, wedi terfyn yr Ail Ryfel Byd, yn gyfnod chwyldroadol yn hanes amaethyddiaeth. Wedi llymder blynyddoedd y rhyfel daeth sawl peiriant amaethyddol ar y farchnad ac roedd ffermwr y Wylfa yn flaengar iawn am y newydd. Fel y cyfeiriwyd prynodd fyrnwr ar y cyd â'i gymydog. Fel y cyfeiriwyd yr oedd ganddo Land Rover newydd. Mi fentrodd brynu peiriant sychu gwair, peiriant drudfawr iawn ac yn hynod o gostus i'w redeg. Yr oedd y gwair yma yn borthiant rhagorol, wedi hanner ei grasu gan gadw'i liw – lliw y borfa a'i nodd a'i holl ogoniant ynddo. Yr oedd ganddo fyrnwr statig i fyrnu'r gwair fel y deuai o boptu'r peiriant. Ar gyfrif ei gost a'i gostau rhedeg fu'r peiriant yma'n fawr o lwyddiant drwy'r wlad ac ychydig a gynhyrchwyd. Yr oedd ffermwyr Môn yn eitha' bodlon ar yr haul i grasu'i gwair, a'i gael am ddim! Ac o ganlyniad byr iawn fu oes y sychwr gwair. Rhyfeddod arall a welwyd ar benrhyn y Wylfa oedd y dyrnwr medi. Yn ystod y pump a'r chwedegau fe ddisodlwyd y dyrnwr mawr gan y dyrnwr medi ac fe welwyd un yn gynnar yn y pumdegau. Mae peth anghytundeb gan bwy ym Môn yr oedd y dyrnwr medi cyntaf, mae un peth yn eitha' siŵr yr oedd Joseph Van Gelderen ymhlith y rhai cyntaf.

Ond heb os troi'r plasty'n Westy Moethus Serennog fu gorchest Joseph a Helen a bu iddynt addasu cabanau'r fyddin gerllaw yn ychwanegol at y plasty. Ond er y bu'r eira yn dderbyniol ar y Dolig cyntaf bu'r haf sych a'i dilynodd yn gryn broblem i'r gwesty a'r fferm. Yr oedd ffynnon fawr y Wylfa wedi sychu i fyny, digwyddiad anghyffredin, ac yn ôl William Thomas y garddwr yn ôl hen goel gwlad doedd hyn ddim yn arwydd da iawn. Bu'n destun sawl rheg Gymraeg a Saesneg rhwng Wil a Joseph. Dyfalai William Thomas dan ei ddannedd – *mae yma ryw falltod diawl ar y lle 'ma* – ddaru neb ei ddeall, diolch am hynny! Ond beth wneir heb ddŵr, mi fydd y tanc mawr sy'n dal pum mil o alwyni, dŵr wedi'i bwmpio o'r ffynnon fawr, mi fydd wedi hysbio cyn pen dim! Ond fu Joseph Van Gelderen fawr o dro nad oedd ganddo gytundeb â'r Frigâd o Amlwch iddynt gyflenwi digon o ddŵr yn ddyddiol am hanner coron am fil o alwyni – mi fyddai llond y tanc mawr yn costio punt a hanner coron i'w lenwi. Yr oedd cryn ddefnydd ar ddŵr yn y Gwesty gan eu bod newydd adeiladu system garthffosiaeth fwyaf modern a oedd yn cael ei dyfrio'n wastad i gylchdro o gerrig mân. Diffyg carthffosiaeth oedd y gŵyn gyffredinol gan ymwelwyr ar y pryd, a dichon mai dyna oedd cŵyn y Van Geldereniaid yn gadael eu llety yng Nghemaes? Ond roedd gan Joseph achos arall dros fynd i'r fath gost, gobeithiai yn siŵr y byddo'r fath drefniadau yn sicrhau iddo ganiatâd gan y Cyngor Sir i gael parc carafanau ar y weirglodd eang wrth y plasty, ond ofer fu pob ymgais er mawr ofid i Joseph.

Ond er pob rhwystredigaeth yr oedd y Gwesty yn llwyddiant ac yn cynnig gwyliau o safon eithriadol o uchel. Yr oedd y safle a'r cyfleusterau allan o'r cyffredin, lle arall y ceid traeth preifat, fferm wrth y drws ac aroglau iachusol cefn gwlad a glan y môr. Roedd yma ddarpariaeth o safon nodedig ar gyfer pob oed ac ar gyfer pob angen a disgwyl. Caent amrywiaeth o lysiau o'r fferm ac o'r ardd, yn syth o'r pridd i'r bwrdd. Mi roedd hi'n werth eistedd wrth ginio blasus yn Wylfa Manor!

Aed ati'n broffesiynol i hysbysebu Wylfa Manor mewn llyfryn broliant addurnol, ac fe'i dosbarthwyd yn Lerpwl a Manceinion, y ddwy ddinas yr oedd tynfa'i gwyliau yng Ngogledd Cymru ac yn arbennig yn Sir Fôn. Dyma gipolwg ar y broliant:

Gwyliau yn y Wylfa Manor, Cemaes

Y mae safle'r Gwesty ar lecyn a rydd olygfa o'r môr ac Ynys Môn gyda mynyddoedd Eryri'n gefndir hardd. Gan fod yr orsaf radar bellach wedi'i chau mae holl diriogaeth y fferm, y clogwyni a'r mynydd yn rhydd i'r ymwelwyr i'w cerdded fel y dymunent ond sicrhau eu bod yn cau'r giatiau ar eu hôl a chadw oddi wrth y cropiau.

Mynediad:
Ceir bws o Gaergybi neu drên o Amlwch a cheir car, ond trefnu, o orsaf Amlwch am bris rhesymol.

Glanweithdra:
Mae cwestiwn o lanweithdra yn gŵyn gyffredin gan ymwelwyr i Fôn ond mae carthffosiaeth fodern o safon arbennig yn Wylfa Manor.

Traeth Preifat:
Y mae digon o faeau diogel i ymdrochi o fewn cyrraedd hwylus. Ond y mae bae preifat yn ymestyn tua milltir ar gyfer ymwelwyr Wylfa Manor yn unig.

Ysgol farchogaeth:
Ceir cobiau a merlod i'w hurio am bedwar a chwech yr awr.

Llyfrgell:
Bydd llyfrgell helaeth at wasanaeth yr ymwelwyr gyda chyfrif da o lyfrau plant.

Cyfforddusrwydd:
Y mae pob adran o'r Gwesty yn gyfforddus a moethus a phob stafell wely wedi ei ffitio â matresi sbring gyda sbring ar eu gwaelod hefyd.

Lolfeydd:
Y mae'r brif lolfa yn helaeth iawn a cheir lolfa neuadd a lolfa haul, a cheir hefyd lolfa ychwanegol fel ystafell dawel i'r rhai sy'n dymuno tawelwch i ddarllen neu ysgrifennu.

Adloniant:
I'r rhai sy'n dymuno dipyn o adloniant ceir dewis ar gyfer yr ymwelwyr –
Dawnsio pob nos yn Theatr y rhandy.
Bridge a Chwist fel bo'r galw.
Maes chwarae modern i blant a chyfleusterau dan do ar andywydd.
Bwrdd biliard llawn.
Bwrdd bagatél a bagatél Rwsieg.
Badminton i fewn neu allan.
Llawr sglefrio i blant (gydag esgidiau).
Tenis maes, Croce a Saethwriaeth (saethu â bwa).

Golff:
Llain bytio naw twll tri chan llath o hyd.
Y mae cwrs deunaw twll yn Porthllechog, bum milltir oddi yma sy'n derbyn ymwelwyr am goron y dydd neu hanner coron am rownd. Bydd bws o Gemaes yn mynd heibio.

Saethdy:
Y mae heldir da ar fferm y Wylfa – cant a hanner o erwau, ar gael i'r ymwelwyr trwy drefniant â'r perchennog.

Cychod:
Bydd cwch rhwyfo a chwch-modur i'w hurio ar y traeth preifat.

Fferm y Wylfa:
Cyfrinach safon uchel yr arlwy a geir yn Wylfa Manor yw'r ffaith mai cynnyrch ffres y ffarm a geir yma: chwiaid, cywion ieir, llefrith, ymenyn, ffrwythau a'r llysiau.

Mewn gair, fe wneir popeth posibl er sicrhau cyfforddusrwydd ac adloniant i ymwelwyr Wylfa Manor.

Telerau Wylfa Manor 1954 (yr wythnos)

	Llawr Cyntaf	**Ail Lawr**
Canol Gorffennaf i ganol Medi	9 gini	8 gini
Mai i ganol Gorffennaf	7 gini	6 gini
Gweddill y flwyddyn	6½ gini	5½ gini

Plant (lleiafrif tâl 4 gini)	Dyflwydd i ddeg oed – hanner pris
Plant yn rhannu stafell wely efo'i rhieni:	Unarddeg i bedair ar ddeg – gostyngiad 25%

Telerau'r gaeaf	Llawr cyntaf:	7 gini
	Ail lawr:	6 gini

Prydau bwyd

Brecwast:	naw o'r gloch y bore
Cinio canol dydd:	un o'r gloch y pnawn
Te pnawn:	pedwar o'r gloch y pnawn
Cinio gyda'r nos:	saith o'r gloch yr hwyr

Bydd y gwesty ar agor i rai dibreswyl:

Cinio canol dydd:	pedwar swllt
Te pnawn	dau swllt
Cinio gyda'r nos	pump swllt

Cafodd Van Gelderen gartref o safon uchel wrth ddechrau ffermio

Pwy fyth allai ragori i ddarparu gwyliau ar gyfer ymwelwyr o'r dinasoedd na Joseph a Helen Van Gelderen yn y Wylfa Manor? Doedd holl bleserau Billy Butlins i'w cymharu â'r Gwesty hwn ar ei orau. A doedd holl ogoniant traethau Costa Blanca yr Ysbaen yn ddim i'w cymharu â Phorth Pistyll a Phorth y Galan Ddu ar draethellau gogledd Ynys Môn.

Ond er holl ogoniannau traethau Môn cyn diwedd pumdegau'r ganrif roedd ymwelwyr yn dechrau troi eu trwynau ar *Fôn dirion dir*. Yr oedd y ffordd mor faith i gyrrau pellaf Gogledd Cymru a'r ffyrdd yn gul a throellog. Fe olygai oriau yn y car yn malwenna trwy Gonwy a thrwy dwnelau Penmaenmawr a dinas Bangor. Yr oedd hedfan i'r Ysbaen cyn rhated ac yn llawer iawn mwy cyfforddus a llawer mwy o gyffro i'r plant a gwell sicrwydd o gael yr haul ar ôl cyrraedd. Gorfodwyd y Van Geldereniaid i roi ystyriaeth i'r busnes a holi mewn difrif a oedd hi'n werth dal ati. Rhwng y fferm a'r plasty yr oeddynt wedi gwario swm mawr o arian a sut fyth y gellid ei gadw. Yr oedd y rhod yn dechrau troi a phatrymau gwyliau pobol yn dechrau newid. Yr oedd y gweithwyr yn niwydiannau'r canoldir yn ennill gwell cyflogau i fforddio gwyliau mwy costfawr ac o ganlyniad fe ddaeth y Wylfa ar y farchnad eto. Doedd yna fawr o gynnig am y fferm na'r plasty er ei chynnig am bris rhesymol. Yr oedd y Bwrdd Cynhyrchu Trydan Canolog yn chwilio am safle i adeiladu'r ail atomfa yng Nghymru. O'r pedwar dewis o safle, un yn Llŷn a thair ym Môn, penrhyn y Wylfa fu eu dewis, cafodd Joseph Van Gelderen well pris na'i ofyn!

Yr Iseldirwr fu ffermwr olaf y Wylfa, ddaw neb yno eto 'i ddilyn yr og ar ochor y glog na chanlyn yr aradr goch ar ben y mynydd mawr'. Welir neb eto yma'n bugeilio'r gwenith gwyn. O bob newid a welwyd ar benrhyn y Wylfa, heb os dyma'r newid mwyaf – Adeiladu Atomfa.

Pennod 5

Adeiladu Atomfa – Wylfa A

O bob newid a fu ar benrhyn y Wylfa, beth yw ail-gartrefu enwogion cefnog yn ymyl rhoi cartref i atomfa fwya'r byd? Ar ddiwedd pumdegau'r ugeinfed ganrif y bu'r daranfollt – adeiladu atomfa yn Sir Fôn, ar benrhyn y Wylfa! Sut fyth y byddai modd dygymod â'r fath brosiect enfawr mewn cornel dawel bellennig ym mhen draw Sir Fôn. Ffermio fu prif ddiwydiant y Sir a'r capel yn ganolbwynt diwylliannol a chymdeithasol ar droad y ganrif. Cafwyd diwydiannau eraill erbyn canol y ganrif ac erbyn hynny yr oedd y capel wedi colli llawer o'i ddylanwad ac fe sefydlwyd sawl canolfan gymdeithasol.

Ond atomfa? – y fath newid! Fe'n gorfodwyd i dderbyn newid mor fawr mewn amser mor fyr. Pa ddylanwad a gaiff prosiect o'r maint ac o'r natur yna ar fywydau ac ar drefn arferol bywyd a byw y bobol leol? Deffrowyd rhyw gywreinrwydd yn y bobol gan fod yr holl beth mor newydd ac mor ddieithr. Yr oedd rhai, y rhelyw yn wir, i ryw raddau yn teimlo balchder – atomfa fwya'r byd yn dod i benrhyn y Wylfa – dŵad i Gemaes! Yr oedd dechrau'r chwedegau yn gyfnod diddorol a gwahanol. Meddiannwyd yr ifanc ag ysbryd afieithus a chynhyrfus fel pe baent wedi torri'n rhydd o ryw gaethiwed. Ymddygiad yr ifanc a fu fwyaf cyfrifol am alw'r cyfnod – yn *chwyldro'r chwedegau.* Meddiannwyd y genhedlaeth ag ysbryd yr ifanc. Yr oedd oes newydd yn gwawrio a hen oes yn dod i ben – gwnaethpwyd pob peth yn newydd. Wedi deng mlynedd ar hugain dan glo fe ymddangosodd nofel T.H. Lawrence – *Lady Chatterly's Lover* –

fu'r fath werthu ar nofel erioed! Mynnai pawb gael copi, yr hen a'r ifanc, pob pagan a sant, er i'r saint ei chondemnio'n gyhoeddus! Daeth y chwyldro i'n llenyddiaeth ac yn ei wres fe ymddangosodd nofel John Rowlands – llenor swil a pharchus – *Ieuenctid yw Mhechod.* Does dim yn halogedig nag aflan mwyach!

Ond doedd y saint ddim yn barod i ymuno yn y gân. Bu'r Eglwys yn bur feirniadol o'r byd newydd gan ynysu ei hun rhagddo gan ledu'r bwlch rhyngddi a'r ifanc. Ac eto fe benodwyd dau gaplan ar safle'r Wylfa yn cynrychioli yr Eglwys Babyddol a'r Protestaniaid. Yr oedd y ddau fel ei gilydd gyda'r gweithwyr yn eu gwaith. Yr oedd llaid a llwch y gweithle ar ddillad y ddau weinidog fel y gweithwyr eraill, ac yr oedd y ddau yn byw ymhlith y gweithwyr.

Yr oedd rhan bwysig o weinidogaeth y ddau yng Nghlwb y Gweithwyr gyda'r nos lle mwynhaent eu peint a'u smôc. Yno yn aroglau'r mwg a'r cwrw y bu i sawl gweithiwr fedru rhannu ei boen a'i bryder efo'r Caplan. Ac yno, dros y blynyddoedd y tyfodd perthynas glòs rhyngddynt. Gwelai'r ddau gaplan ffin y genhadaeth Gristnogol lle bynnag y bo'r bobol wrth eu gwaith ac yn hamddena yn y Clwb. Yn chwyldro'r chwedegau bu i'r ddau ymryddhau o'r Eglwys a oedd ynghlwm wrth adeilad a chynulleidfa a oedd yn ganolog iddi. Sut arall yr oedd modd cyrraedd a chyffwrdd y gymdeithas seciwlar. Tybed na chollodd yr Eglwys ei chyfle yn chwyldro'r chwedegau?

Yr oedd hi'n chwyldro diwydiannol hefyd ar ddechrau'r chwedegau. Am y waith gyntaf er dyddiau gorau y Mona Mine ar fynydd Parys ar ddiwedd y ddeunawfed ganrif, pryd yr aeth pentrefyn tlawd Amlwch yn dref ffyniannus o bum mil o bobol, dyma Sir Fôn eto ar ddechrau'r chwedegau yn cychwyn ar gyfnod uchelgeisiol yn ddiwydiannol. Dyma gyfnod a oedd i drawsnewid yr isadeiledd economaidd. Yr oedd Atomfa'r Wylfa yn rhan holl bwysig o'r uchelgais yma. Heb os mi fu'r gwahanol chwyldroadau yn ei gwneud hi'n haws i drigolion Môn ac yn enwedig trigolion Cemaes ddygymod derbyn y fath ddatblygiad ac Atomfa wrth eu drws. Yn fuan iawn yr oedd llygaid y byd diwydiannol ar benrhyn y Wylfa. Do, fe adeiladwyd yr Atomfa fwyaf yn y byd, (yn ei dydd) yma yng nghwr eithaf yr Ynys a daeth yn atodiad cyfareddol o hanes Môn.

Tua diwedd pumdegau'r ganrif ddiwethaf yr oedd y Bwrdd Cynhyrchu Trydan Canolog (BCTC) yn chwilio am leoliad addas i godi Atomfa. Yr oedd dau beth yn gwbwl hanfodol ynglŷn â'r safle: yr oedd yn rhaid wrth graig addas yn sylfaen digon cadarn i gynnal pwysau'r fath adeilad ynghyd â dyfnder dŵr y môr i oeri'r cyfleusterau. Erbyn hyn yr oedd Atomfa Trawsfynydd wedi'i hadeiladu. Yr oedd pedwar safle dan ystyriaeth: Edern, ar Benrhyn Llŷn – yn ardal Porthdinllaen rhwng Morfa Nefyn ac Edern; yr oedd y tri safle arall ar Ynys Môn, Pen Carmel ger Llannerchymedd; Trefadog Llanfaethlu a Phenrhyn y Wylfa. Yr oedd Cledwyn Hughes, Aelod Seneddol Môn, dan gryn bwysau i ddod â gwaith i'r Ynys i liniaru tipyn ar y diweithdra uchel gan fod amaethyddiaeth yn newid yn gyflym trwy fecanyddio. Yr oedd y graig ar Benrhyn y Wylfa yn ateb y gofynion yn well na'r tri safle arall.

Yr oedd y BCTC yn awyddus iawn i wybod beth oedd agwedd a theimladau'r bobol leol i'r datblygiad. Gan fod y fath brosiect mor newydd a dieithr yr oedd y cyhoedd dan gryn anfantais i gwestiynu. Bodlonent, y rhelyw ohonynt, y deuai'r Atomfa â gwaith a ffyniant i'r Ynys ac fel y cyfeiriwyd yr oedd yr ifanc dan gyfaredd chwyldro'r chwedegau ac yn barod i dderbyn unrhyw newid a datblygiad yn eu hardal. Ond yr oedd rhai grwpiau hyd a lled yr Ynys yn protestio, nid yn erbyn yr Atomfa fel y cyfryw ond yn erbyn y peilonau uchel a fyddai'n croesi'r Ynys. Bu'r grwpiau hyn wrthi'n ddyfal ac yn ddygn yn crefu ar y Bwrdd i ddaearu'r ceblau a fyddai'n cario'r trydan, ond yn ofer y bu eu hymdrechion. Yr oedd grŵp bychan arall o adarwyr o Warchodfa Adar Cemlyn gerllaw yn gwrthwynebu'n gryf iawn i godi Atomfa o gwbwl mor agos i Warchodfa mor bwysig. Ofer fu eu hymdrechion hwythau hefyd. Yr oedd yr Ynys yn ferw o drafod a dadlau o blaid ac yn erbyn yr Atomfa, mewn siop a marchnad, mewn ysgol a choleg ac ar y cyfryngau – y radio a theledu. Cafodd y cyhoedd eu cyfle i leisio'u barn mewn Ymchwiliad Cyhoeddus yn Neuadd y Dref Amlwch yn ystod Ebrill a Mai 1961. Cyflwynodd y Peilonwyr a'r Adarwyr eu hachos yn effeithiol iawn gan siaradwyr huawdl ond yr oedd y lleisiau dros gael gwaith i'r Ynys yn uwch a'r siaradwyr yn fwy niferus o lawer. Yr oedd y panel o wybodusion ar y llwyfan yn llwyddo i ateb pob gofyn yn ddidramgwydd iawn ac yn tawelu pob pryder ac amheuaeth gan y gynulleidfa. Yr oedd mwy o sylwedd yng nghwestiwn Sgweier y Brynddu – William Grove-White – 'A oes gennych ateb i waredu'r gwastraff ymbelydrol gwenwynllyd?' Tawelodd y gynulleidfa wrth glywed y ddeuair *ymbelydrol gwenwynllyd*. Aeth y Sgweier yn ei flaen i egluro mor gwbwl hanfodol oedd diogelu'r gwastraff yma ac ymhle yr oeddynt am ei gadw. Cyn i ŵr y Brynddu fynd dim pellach torrwyd ar ei draws gan un o'r panelwyr – 'Mr Grove-White,' meddai, 'mae'r gwastraff yn ddiogel, yr ydym o fewn cyrraedd ateb i'ch cwestiwn.' Ymlaciodd y gynulleidfa mewn bodlonrwydd.

Gydag amser bu i'r Llywodraeth gymeradwyo'r cais i

adeiladu Atomfa ar Benrhyn y Wylfa a'r gwaith i ddechrau yn 1963 ac i'w gwbwlhau ymhen pum mlynedd. Y prif adeiladwyr a ddewiswyd i'r gwaith oedd English Electric; Babcock & Wilcox a Taylor Woodrow Atomic Power Group. Dechreuwyd ar y gwaith yn ddiymdroi gan dorri ar dawelwch y penrhyn ac yn gyfnewid am gri'r wylan a sisial undonog y môr cafwyd twrw byddarol y peiriannau mawr yn llyfnu'r creigiau ac yn codi pob pant, gostwng pob bryncyn, unioni pob gwyrgam a gwastadhau yr anwastad. Ffrwydrwyd cymaint â saith gant a hanner o filoedd o dunelli o greigiau, y creigiau hen a fu yno erioed yn gartref i'r cwningod a sawl llygoden fawr a bach, pawb yn dianc heb le yn y byd i fynd. Dinoethwyd y penrhyn o'i wisg naturiol brydferth yn rhan o'r paratoad o fwy fyth o newid. Ond na phryderwn y mae BCTC wedi addo na fyddent yn ymyrryd ond cyn lleied a bo modd ar harddwch naturiol yr ardal. Aethant i gryn gost i adfer yr ardal i ymddangos mor naturiol ag y bo modd. Bu i'r dirlunwraig, Miss Sylvia Crowe, ymgynghori ar ran y Bwrdd â'r penseiri Farmer & Dark i gynllunio sgrin o goed artiffisial i orchuddio bryncyn o gan troedfedd o uchder i guddio'r cyfan. Ond pwy all adfer creadigaeth natur a ddifrodwyd? Mi fyddai raid cael mwy na thipyn o goed artiffisial ar floryn o fryn i guddio'r fath adeilad. Oni ymffrostiai pobol Cemaes o ddarllen pennawd bras yn y *North Wales Chronicle* ar Awst 28ain, 1964. '*Wylfa: The largest nuclear power station in the world.*' Gadewch i'r Byd a'r Betws ei gweld!

Ond y difrod pennaf fu dymchwel anheddau a thyddynnod i wneud gwely i'r Atomfa, doedd yna na thŷ na thwlc a safai o flaen y tarw dur mawr melyn. Yr oedd y **Galan Ddu** yn nefoedd ar y ddaear i Rosina Buckman a Maurice ei phriod, ond bu raid ei ddymchwel, '*a'i le nid edwyn mohono mwyach*'. Nid rhyfedd

Y Galan Ddu

fod ysbryd y gantores yn dihoeni ac yn chwilio amdano. Aeth fferm y Wylfa a chant a thrigain o erwau yn safle'r Atomfa gan gynnwys y mân dyddynnod – Tyn y Maes, Tŷ Croes a Thai Hirion. Fe arbedwyd **Simdde-wen** i'w addasu'n ysgol i'r prentisiaid. Hyfforddwyd ugeiniau o fechgyn yn eu harddegau cynnar am bedair blynedd a chyflogwyd y rhelyw ohonynt i'r orsaf ar gwblhau eu cwrs. Dyma mae'n debyg y peirianwyr ieuengaf a fu mewn gofal Atomfa. Wedi'r cyfnod prentisio cafodd y Simdde-wen swyddogaeth newydd, fe'i haddaswyd yn Ganolfan Chwaraeon ac yn Glwb Cymdeithasol yn gyfleusterau adloniant i weithwyr yr Orsaf ac fe ddefnyddid y neuadd yn gyson gan y cyhoedd. Y difrod mwyaf, yn sicr fu dymchwel y plasty enwog – Wylfa Manor. Yr oedd y Manor yn orchestwaith yr adeiladydd David Hughes a roes y defnyddiau gorau ynddo a'r crefftwyr gorau i'w adeiladu. Y tarw dur eto yn ei fwrw i'r llawr yn gwbwl ddiseremoni – dim ond cymylau o lwch. Ond diolch byth fe gaed cyswllt diddorol â theulu David Hughes, bu

Y Simdde-wen – fe'i addaswyd yn Ganolfan Chwaraeon ac yn Glwb Cymdeithasol i weithwyr yr orsaf.

i'w or-wyres Ann Venmore ddod yn ysgrifenyddes rheolwr yr Atomfa – Phil Holbrook, y rheolwr cyntaf, ac i'r ail reolwr Alan Kirkpatrick.

Ond dagrau'r sefyllfa fu colli cymuned o dyddynwyr, bythynwyr a bonheddwr o ffermwr. Mor nodweddiadol o gefn gwlad Sir Fôn hyd ganol yr ugeinfed ganrif a phellach na hynny. Y rhain a'i hen ffordd Gymreig o fyw oedd cynheiliaid bywyd cefn gwlad. Wrth 'gofio'r Wylfa' nad anghofiwn y gymuned fach yma!

Gyda sêl bendith y Llywodraeth yr oedd y gwaith o adeiladu'r Atomfa yn cychwyn ar Ionawr 1964. Symudodd y Cyngor Sir yn ddiymdroi i ledu'r ffyrdd, bellach yr oedd pob ffordd yn arwain i'r Wylfa, yr oedd y ffyrdd yng Ngogledd y Sir mor gul a gwyrgam. Ond y broblem fwyaf oedd Pont y Borth a oedd mor gyfyng tan y bwâu. I ateb y broblem fe osodwyd craen enfawr ar ochr y doc sych yng Nghaergybi a'i fraich yn ddigon cryf i godi dwy dunnell ar y tro. Bu cryn gyffro yng Nghaergybi wrth geisio gyrru llwyth anghelfydd drwy'r dref. Fu'r fath strach erioed – aeth rhan o'r llwyth yn sownd mewn polyn lamp a'r trydan yn gwreichioni. Yr oedd y traffig yn cynffonna ar hyd y dref. Wedi cyrraedd i'r Wylfa yr oedd y porth i'r safle yn rhy gul eto! Yr oedd y gwahanol adrannau ar gyfer y gwaith yn amrywio cymaint mewn maint a phwysau yn ei gwneud hi'n anodd i drefnu cludiant. Ond o bob adran a gludwyd doedd yr un mor anferthol â Goliath y craen a chofier nad Goliath y Philistiad oedd hwn. Mi fyddo'n llawer haws cael y Goliath hwnnw o Drawsfynydd i'r Wylfa na chael y craen. Wedi cwblhau ei waith ar Atomfa'r Traws y mae'n barod bellach i'r daith am Sir Fôn. Teithiodd yn hamddenol ar y ffordd i lawr i Borthmadog. Llwyddodd craen y Bwrdd Trydan i'w godi ar y llong ym Mhorthmadog. Fe'i datgymalwyd yng Nghaergybi i'w gario'n ddarnau ar y ffordd i'r Wylfa. Fe'i cyfosodwyd ar ei drac yn y Wylfa gan Gwmni Babcock & Wilcox. Dyma'r craen mwyaf yn Ewrop allai godi cymaint â phedwar can tunnell o bwysau ar y tro. Yr oedd yn rhaid wrtho yn fwyaf arbennig i osod adrannau trymion i adeiladu'r ddau adweithydd. Fu'r fath olygfa – safai yn dalgryf ar bedair coes gadarn ar led ar ei gledrau fel pe bai'n herio pob Dafydd ar yr Ynys. Fe ddeuai ymwelwyr, lawer, i'w weld wrth ei waith.

Dacw gip ar Goliath

Gydag amser fe gynyddodd y gweithlu i rai cannoedd. Yr oedd gwersyll ar y safle yn cartrefu cymaint â phum cant o'r gwerthwyr gyda phob cyfleuster ar eu cyfer fel nad oedd raid iddynt ddod i gyswllt â'r cyhoedd. Bu'r safle'n rhan bwysig o weinidogaeth y ddau gaplan. Yr oedd y rhelyw o'r gweithwyr yn teithio'n ddyddiol i'r Ynys a llawer o'r tu allan gan chwyddo'r traffig gryn dipyn. Yr oedd cymaint â deg ar hugain o fysus deulawr yn teithio nos a bore yn un osgordd hir. Bu i'r fath drafnidiaeth cyson greu gryn anhwylustod ar hyd ac ar draws yr Ynys. Pa obaith fyddai gan Jehu, hyd yn oed, i basio deg ar hugain o fysus deulawr? Mae'n rhyfedd fel y deuai'r trigolion lleol i delerau â'r fath newid. Fe newidiwyd trefn arferol bywyd pawb. Bellach yr oedd pob diwrnod yr un fath yn union â'i gilydd – Sul, Gŵyl a Gwaith a phawb ar fynd yn barhaus, doedd wiw i'r gwaith o adeiladu Atomfa stopio am funud. Fe wawriodd byd newydd. Yr oedd y Wylfa yn y newyddion bob dydd, ac nid newyddion Papur Bro mohonynt. Byddai llun o'r gwaith ar safle'r Wylfa ar brif newyddion y teledu.

Ac eto mi roedd yna ambell i lais beirniadol ac anniddig o ambell gyfeiriad fel yr â'r gwaith yn ei flaen. Cwynai J.C. Owen, Ysgrifennydd Undeb Cenedlaethol y Ffermwyr fod Cwmnïau Adeiladu'r Wylfa yn cyflogi gweithwyr amaethyddol. Bu cyflogau mawr y Wylfa yn atyniad i'r gweision ffermydd ac yn arbennig o weld y tyddynwyr yn cael gorau o'r ddau fyd. Yr oeddynt hwy yn llwyddo i gadw'r tyddyn a gweithio yn y Wylfa. Ond erbyn dechrau'r chwedegau yr oedd y gwas fferm yn 'weithiwr amaethyddol' yn trin a thrafod peiriannau yn hytrach na gyrru'r wedd ac yn gymaint o '*gentleman farmer*' â'i feistr. Er hyn fe droes llaweroedd ohonynt at waith cwbwl wahanol yn yr Atomfa gan anwybyddu cwyn J.C.

Yn rhyfedd iawn chafodd y Bwrdd Trydan fawr o anhawster na rhwystrau i feddiannu tyddynnod, y tai na fferm y Wylfa i'r diben o'i dymchwelyd. Mae'n wir nad oedd fochau bodlon gan bawb. Gwelodd perchen y Manor a'r fferm, Joseph V. Gelderen gyfle da i werthu a sicrhau pris wrth ei fodd. Ond yr oedd un tyddynwraig, Esyllt Hughes Tyn y Maes, yn amharod iawn i ildio'i thyddyn pymtheg erw i neb. Fe'i ganed led dau gae o Dyn y Maes yn Nhyddynronw, dyma fu ei chynefin a'i milltir sgwâr gwta. 'Rhoes fy niweddar ŵr a minnau ein popeth yn y tyddyn bach yma, sut y gallaf ei ollwng i neb' – dyna oedd ei phrotest barhaus. Gan ei bod yn llais mor unig mi gafodd Esyllt gryn sylw i'w phrotest. Enillodd bennawd bras yn y *Daily Express* – '*Wont Budge Widow Defies Atom Men*'. Ond er pob sylw a gafodd y weddw, gadael fu raid iddi yn brawf nad yw Dafydd yn ennill bob tro!

Ond bu llais gwrthwynebwyr y peilonau yn daerach fyth, mynnent y dylid claddu'r ceblau, a gariai'r trydan o'r Wylfa i'r is-orsaf ym Mhentir, ar hyd y daith ar draws yr Ynys neu o leiaf, eu claddu ar lecynnau arbennig ar y daith. Yr oedd pentrefwyr Môn a thrigolion Porthaethwy yn bur wrthwynebus i ganiatáu anharddu'r Ynys â'r fath beilonau. Peilonau o gant pum deg wyth o droedfeddi o uchder yn cynnal pump ar hugain o wifrau o dros fodfedd o drwch. Safai'r peilonau bellter o gan llath ar wahân. Gyda'r fath olygfa, o beilonau o'r maint yna yn brasgamu ar hyd-traws yr Ynys nid rhyfedd i bobol Môn wrthwynebu. Yn wyneb yr anniddigrwydd trefnodd y Cyngor Sir i gyfarfod â'r B.C.T.C. iddynt roi ystyriaeth i ddaearu'r ceblau. Ond doedd y Bwrdd ddim mewn mŵd i drafod heb sôn am ganiatáu. Bu iddynt atgoffa'r Cyngor Sir eu bod yn talu £200,000 mewn trethi iddynt eu bod yn helpu Cynghorau Lleol yn ariannol ac ar ben hyn yr oeddynt yn rhoi prentisiaeth i ddeugain o fechgyn ifanc Môn. 'Paham,' meddent, 'y dylem ni wario £50,000 yn ychwaneg i gladdu'r ceblau dim ond i amddiffyn rhyw rannau o harddwch yng nghefn gwlad yr Ynys.' Aeth y Cynghorwyr yn fud! Cafodd y peilonau talgryf pob hawl i frasgamu'n ddigywilydd ar draws yr Ynys gan anwybyddu pob llecyn o brydferthwch ar y daith.

Ond ar Awst 1964 fe ataliwyd y gwaith nid oherwydd protest gan neb, na streic gan y gweithwyr ond ymddangosiad *Ysbryd* mewn twnnel drymder nos – rhyw ffenomen o'r oes o'r blaen. Ond, ffenomen neu beidio, doedd neb fedrai berswadio chwech o Wyddelod gweithgar, a enillai bedwar ugain punt yr wythnos, i fynd yn ôl i'r twnnel. Yr oedd hyn yn ddryswch pur i Roy Broadhead, prif beiriannydd y twnnel ac er ei holl brofiad i drin a thrafod gweithwyr, wyddai o ddim yn y byd sut i ddelio efo *Ysbryd*. Yn ôl tystiolaeth y Gwyddelod yr oedd hon yn Ysbryd hapus yn canu o'i hochor hi, mewn llais nefolaidd, ond wedi'r cwbwl *Ysbryd* oedd hi. Pwy fyddo'n disgwyl i *Ysbryd* atal y gwaith o adeiladu'r Atomfa? Hawliodd y stori sylw'r rhelyw o'r gweithwyr ac fe ymddangosodd yn y Wasg ac ar y Cyfryngau, wedi'r cwbwl mi roedd hi'n stori hynod o anghyffredin. Yr oedd Ann Hywel Farrell, merch yr awdur-ddoctor William Hywel, yn gweithio yn y Swyddfa Gynllunio ar y safle ac fe gymerodd hi ddiddordeb neilltuol yn y stori. Bu Ann yn glust oddefgar i bob stori am yr Ysbryd ac fe'i casglodd yn ddarlith ddiddorol a reit gynhyrfus. Fe'i hanfonodd i'r *Nuclear Times* i'w chyhoeddi. Fu'r fath ddiddordeb mewn stori erioed – '*Ysbryd mewn Atomfa!*' Cyhoeddwyd y stori yn yr *Holyhead Mail,* papur â chryn ddarllen arno yn Sir Fôn. Mynnodd Alan Barham o *BBC Radio Wales* gael cyfweliad ag Ann. Lledaenodd y diddordeb yn yr Ysbryd. Rhoes Ian Skidmore lwyfan i'r stori ar ei raglen *Pick of the Week* ar Radio Cymru. Gyda'r fath ddiddordeb mi gafodd 'Ysbryd y Wylfa' fwy o sylw na'r Atomfa a chyfrifid Ann Hywel

Carreg fedd Emma d'Oisly

yn awdurdod ar yr Ysbryd. Aeth y stori yn rhan fechan o hanes un o helbulon adeiladu'r Atomfa ar Benrhyn y Wylfa. Allai prif beiriannydd y twnnel yn ei fyw a deall fod rhyw chwedl o'r math yn ddigon i atal gwaith mor bwysig fynd yn ei flaen. Fe glywyd am ail-gartrefu ystlumod yn atal gweithiau, ond *Ysbrydion*? Does gan y rheini ddim cartref na chynefin, am wn i!

Ond na ddiystyrwn fodolaeth Ysbrydion, yn ôl traddodiad y mae Ysbrydion yn ymweld ac yn aflonyddu ar ryw fannau ar y ddaear oherwydd i ryw gamwri a gyflawnwyd gan adael blas o anhapusrwydd mawr, neu, dichon oherwydd rhyw fusnes anorffen. Mae'r un mor debygol fod yr Ysbrydion am ymweld â rhyw dŷ neu gynefin am mai yno y buont yn arbennig o hapus yn ystod eu bywyd ar y ddaear. Yn ôl y ddamcaniaeth yma mae gan yr Ysbrydion resymau arbennig dros ymweld ac aflonyddu ar y lleoedd arbennig yma. Mae'n gwbwl naturiol, ar sail hyn, i Ann Hywel ac amryw eraill gredu mai Ysbryd Rosina Buckman y gantores operatig fyd-enwog oedd '*Ysbryd y Wylfa*'. Yr oedd Rosina a Maurice d'Oisly ei phriod wedi treulio cyfnodau hapusaf eu bywyd yn ei hail-gartref – y Galan Ddu ar Benrhyn y Wylfa a deuent yno'n gyson. Yr oedd Emma D'Oisly, mam Maurice, wedi ei chyfareddu'n llwyr â'r lle, cymaint felly fel y bu iddi drefnu trwy ewyllys mai yno yng ngardd y Galan Ddu y dymunai i'w gweddillion gael eu claddu. Treuliai Emma oriau bwygilydd yn nhawelwch a llonyddwch yr ardd honno. Bu farw Emma yn 1935, deuddydd cyn y Nadolig a chafodd ei dymuniad, rhoed y casged mewn bedd yn y graig yng ngardd y Galan Ddu. Ond fe aflonyddwyd ar ei heddwch. Ar gychwyn yr Ail Ryfel Byd meddiannwyd y Galan Ddu gan y Llu Awyr Brenhinol i'w droi'n Orsaf Radio. Bu'r orfodaeth yn dorcalon i Rosina a Maurice, a gorfu iddynt adael yn ôl i Lundain ac yno y bu'r ddau farw yn 1948. Fe werthwyd y Galan Ddu yn y pumdegau i'r Bwrdd Trydan Canolog fel rhan o safle'r Atomfa. Ond beth am fedd Emma d'Oisly yn y graig? Tybed ai dyma a oedd i'w gyfrif am bresenoldeb yr Ysbryd a oedd yn ymddangos hyd y clogwyni. Aflonyddwyd ar fedd Emma, gan symud ei gweddillion o'i dewisfedd i fynwent hen Eglwys Llanbadrig. Yno yn awel y môr ac yng ngolwg Penrhyn y Wylfa y cynhaliodd y Ficer, Y Parch Morris Pugh, wasanaeth brysiog yng nghwmni dau weithiwr yn eu dillad gwaith. Yno gerllaw yr hoeliwyd placard arysgrifen mewn llythrennau bras: EMMA D'OISLY – 14:12:35 AGED 84 RIP i nodi'r fan lle'r ail-gladdwyd llwch un a garodd benrhyn y Wylfa yn fwy na neb!

Ond er symud gweddillion y foneddiges i dawelwch mynwent Llanbadrig o sŵn bytheiriol y peiriannau ar safle'r

Wylfa yr oedd yr Ysbryd yn dal i rodianna ar safle'r Wylfa. Credai rhai mai creadigaeth dychymyg ofergoelus y Gwyddelod oedd yr Ysbryd ac na ddylid ei chymeryd o ddifrif. Mae'n wir fod yma destun a deunydd stori Ysbryd – Chwech o Wyddelod yn gweithio daliad nos mewn twnnel dwfn drymder nos! Pwy na welai Ysbryd mewn lle o'r math? Yr oedd y twnnel yn rhan gwbwl allweddol i'r Atomfa, yn cyrraedd cymaint â thair mil a hanner o droedfeddi trwy graig galed mewn dyfnder o gan troedfedd yn stafell y pwmp i hanner can troedfedd tan lefel y môr yn y mewnlif. Yn y llecyn tanddaearol hwn y clywyd y llais nefolaidd ac y cafwyd cipolwg o silowét merch osgeiddig yn y llwydnos oer. Nid rhyfedd i'r chwe Gwyddel ei heglu hi o'r fath le gan gyffesu na ddychwelent fyth. Nos trannoeth fe adawodd deuddeg ar hugain o weithwyr o'r un twnnel gan addef iddynt hwythau weld merch ifanc mewn gŵn nos sidanaidd yn mwmian canu'n dawel.

Ond i fod yn deg â'r Gwyddelod fe welwyd yr un Ysbryd gan amryw eraill nad oeddynt ofergoelus na gwangalon. Yr oedd gwarchodwr yn mwynhau paned am dri o'r gloch y bore yn y cantîn, er ei syndod gwelodd yntau ferch ifanc mewn gwisg wenlaes a'i gwallt melyn yn gorchuddio'i chefn. Yno yr oedd hi'n rhythu arno drwy'r ffenest, cythrodd yn ei fraw allan i chwilio am gwmpeini. Gwelodd eraill ferch, a oedd mor real iddynt fel y credent mai ar ei ffordd i gael trochfa hanner nos yn y môr yr oedd hi. Er iddynt alw'n uchel arni fe lithrodd yn ei blaen i gyfeiriad y clogwyn ac yno ar y dibyn, diflannodd.

Yr oedd gan Warchodwyr Diogelwch y Wylfa storïau amrywiol am yr Ysbryd ac amlwg eu bod yn eitha' siŵr iddynt ei gweld a'i chlywed, gan amlaf yn mwmian y melodïau. Yr oedd y dynion hyn o natur ddewr a garw, cyn-filwyr a chyn-aelodau o'r heddlu ac eto fe arswydent o'u gweld drymder nos. Yr oedd un ohonynt ar gylchdaith y terfynau yn ei *Land Rover*. Yn sydyn o rywle safai merch mewn gwisg glaerwen ar ganol y ffordd o'i flaen, yn ei ddychryn llwyddodd gyda chryn ymdrech i'w hosgoi. Pob nos wedyn, yn yr un fan y gwelodd y ferch, byddai golau'r *Land Rover* yn pylu heb unrhyw esboniad. Ar achlysur arall â dau swyddog dirgelwch yn gwirio'r drysau ar hyd coridorau'r atomfa, clywsant chwibanu melodïaidd, gwyddai'r ddau nad oedd neb arall ond hwy ill dau yno.

Bu sawl golwg ar yr Ysbryd gan wahanol bobol, yn rhy niferus i'w nodi bob yn un ac un. Credid yn gyffredinol gan Ann Hywel ac eraill mai Ysbryd Rosina Buckman oedd hi, yr oedd disgrifiad pawb a'i gwelodd mor debyg. A phe bai raid wrth fwy o dystiolaeth, dyma fel y disgrifid hi mewn erthygl – *Opera in New Zealand* gan John Mansfield Thomas ac Anne Morris, dau a'i gwelodd hi: 'Heb os y llais soprano mwyaf euraid a glywyd erioed. Yn wir yr oedd rhywbeth euraidd am ei holl bersonoliaeth yn cael ei awgrymu gan ddisgleirdeb euraidd ei gwallt.' Digon dweud fod yna Ysbryd yn y Wylfa. Ond beth oedd diben ei hymweliad â'r Wylfa? Yn ôl traddodiad mae Ysbrydion yn ymweld â rhyw fannau arbennig ar y ddaear am wahanol resymau, gan amlaf ymweld â thŷ neu gynefin lle y buont fwyaf hapus ar y ddaear. Credai Ann Hywel ac eraill fod yr

8 Nuclear Times November 1991

Ann Farrell ... convinced the ghost is Rosina Buckman

Ann solves ghost mystery at Wylfa

STAFF at Wylfa have known for many years that their station may be host to a ghost — but they have never known the story behind the mystery figure which appears from time to time. Not until Ann Farrell, who works in the planning office, became interested and decided to conduct some research, that is...

"The verdict seems to be that it is the ghost of Rosina Buckman, a famous New Zealand opera singer who came to England in the early 1900s," said Ann. "In 1919, she married the tenor Maurice d'Oisley. She began teaching at the Royal Academy of Music in London in the 1930s, and it was at this time when she bought a country house in Anglesey, Galan Ddu on Wylfa Head."

There have been reported sightings of a lady ghost dressed in white wander-

happened to Galan Ddu? What sort of life did she lead there?

Ann has some of the answers. "She would bring some 30 stu-dents from the Royal Academy to stay at Galan Ddu during th summers. Many of them went on to become famous singers an they are still remembered locally for the concerts of very hig standard which they gave at Cemaes village hall in aid of w charities.

"It was during the war that the hous was commandeered by the RAF for radio location station and Rosina Buck man and her family moved on. But h husband's mother, Emma d'Oisley, he died while living at Galan Ddu in 193 and she had requested in her will that h ashes would remain buried at the house."

When the CEGB purchased Wylfa Hea to build the power station, Galan Ddu ha become derelict and had to be demolishe explained Ann. "The house had stood on th site where reactor two now stands," she sai "The casket containing Emma d'Oisley ashes was carefully removed and reinterred

Ysbryd yn codi streic! Ann Farrell gofnododd yr hanes.

Ysbryd – Ysbryd Rosina yn chwilio am Emma D'Oisly ei mham-yng-nghyfraith. Aflonyddwyd ar ei bedd a symud ei gweddillion i fynwent Eglwys Llanbadrig. Ond fe geir theori arall am neges yr Ysbryd. Derbyniodd Ann Hywel lythyr gan Anne Morrison, cofiannydd Rosina Buckman ac yn ôl ei damcaniaeth hi – dichon fod Ysbryd Rosina yn aros yn y Galan Ddu am flynyddoedd cyn iddo gael ei ddymchwel. Yn ôl y cofiannydd Ysbryd Rosina oedd yno yn chwilio am y Galan Ddu ac am Maurice ei phriodi. Chwilio am y tŷ a'r llecyn hwnnw lle y bu iddi hi a'i phriod – y ddau enaid hoff cytûn, ganfod nefoedd ar y ddaear. Cynhyrfwyd ei hysbryd o feddwl fod yr annedd annwyl honno wedi dymchwel yn garnedd o gerrig blêr. Pan gollodd Rosina a Maurice y Galan Ddu fe gollasant, y ddau ohonynt, flas ar fyw. Dychwelasant i Lundain i ddihoeni am fod pennod hapusa'i bywyd wedi blotio o lyfr eu hatgofion. Beth arall a wnelai'r Ysbryd ond chwilio a cheisio cael yr awr a'r lle hwnnw yn ôl?

Yr oedd Ysbrydion eraill ar safle'r Atomfa – Y Simdde-wen, math o blasty bychan yn y coed ar gwr y safle a wnaed yn Glwb helaeth ac yn Ganolfan Groesawu. Gydag amser daeth y Clwb yn fan poblogaidd a phrysur yn ganolfan adloniant i weithwyr yr Atomfa ac i'r cyhoedd a chedwid oriau hwyr iawn yn aml yno. Golygai hyn y byddai raid i'r glanheuwraig fod yno'n bell i'r nos. Y merched hyn a fu'n dystion i'r Ysbrydion yma. Cymaint fu eu hofn a'u harswyd yng nghwmni'r ysbrydion fel y bu i amryw ohonynt adael y gwaith. Gweld dyn yn sefyll wrth ddrws y toiledau yn gwisgo esgidiau marchogaeth ac yn ergydio ei chwip a golwg digon sarrug arno. Sŵn plant yn chwarae y tu allan, a dim plentyn ar gyfyl y lle. Teimlid rhyw awyrgylch oerllyd yn wastad mewn ambell fan o'r adeilad a feiddiai'r un o'r merched fynd yn agos i'r llecyn hwnnw. Dacw ddyn golygus mewn clos-penglin a hwn eto yn ergydio ei chwip. Mae'n amlwg fod y Simdde-wen yn fyw o ysbrydion, tybed a ydynt yn cenhedlu? Ond er yr holl ysbrydion amrywiol, ysbryd Rosina Buckman yw'r un y sonnir amdano o hyd a thra y cofir am y Wylfa fe gofir am yr ysbryd cerddgar hwnnw.

Ond er yr holl ysbrydion naturiol a goruwchnaturiol fe aeth y gwaith rhagddo ac fe adeiladwyd atomfa ar benrhyn y Wylfa erbyn mis Mai 1971 – ddwy flynedd yn hwyr. Bu'r agoriad swyddogol ym Mai 1972 gan Syr Merfyn Rosser a oedd ar y pryd yn gadeirydd y Cyngor Cymreig – y corff ymgynghorol i'r Swyddfa Gymreig. Bu seremoni arall ddiddorol pryd y cyflwynwyd gweithredoedd Penrhyn y Wylfa i gynrychiolwyr Cyngor Sir Môn; Cyngor Gwledig Twrcelyn a Chyngor Plwyf Llanbadrig gan Mr Jack Turner, Ysgrifennydd y Bwrdd Cynhyrchu Trydan Canolog; dyna Sir Fôn yn derbyn yn ôl un o'i llecynnau prydferthaf ond wedi newid cryn dipyn. Does dim modd adfer creadigaeth natur fel yr oedd ar ôl ei ddifwyno!

Pennod 6

Pregethwr mewn Helmed

Pregethwr, gweinidog mewn helmed ddiogelwch a choler gron! Dyna olygfa yr oeddem yn gynefin â hi yng Nghemaes a'r cyffiniau ar ddechrau chwedegau'r ganrif ddiwethaf! Nid helmed diogelwch rhag erlidwyr a gwrthwynebwyr y ffydd Gristnogol oedd hon ond helmed diogelwch mewn gwaith peryglus – adeiladu Atomfa.

Bu'r newydd am godi Atomfa, yr ail yng Nghymru, yn gryn sgytfa i bobol Môn ac yn enwedig i drigolion Cemaes a'r cylch. Codi Atomfa ar Benrhyn y Wylfa, y llecyn tawel, prydferth hwnnw! Roedd ymateb y trigolion lleol yn amrywio o groeso gobeithiol i ofni tranc ein Cemaes ni. Ond ar y cyfan bu'r newydd yn ddigon derbyniol ac yn llawn chwilfrydedd. Byddai yma waith i'r miloedd ac fe ddeffrowyd ein balchder o feddwl mai yma yng Nghemaes yr adeiledid Atomfa fwya'r byd, yn ei dydd! Fu erioed y fath baratoi – lledu'r ffyrdd a oedd yn arwain i'r Wylfa a sicrhau y byddo cyflenwad o ddŵr a thrydan ar gyfer y fath chwyldro. Bellach yr oedd pob ffordd o Bont y Borth yn arwain i'r Wylfa. Rhaid oedd manteisio ar gyfer y fath gyfleoedd a ddeuai yn sgil y prosiect newydd yma. Fe'n gorfodwyd, bawb i ymateb i'r fath newid a oedd i ddigwydd.

Ymhlith y 'pawb' yna yr oedd capeli ac eglwysi'r cylch, beth tybed fydd eu hymateb? Deuthum yma yn weinidog i Gapel y Methodistiaid yng Nghemaes a chael cynulleidfa o bedwar ugain i gant ar nos Sul a'r un oedd cyfartaledd cynulleidfaoedd yr enwadau eraill yn y cylch. Er bod arwyddion amlwg o ddirywiad gyda'r chwedegau siglog yn ysgwyd y sylfeini. Pryderai'r saint y byddai dyfodiad miloedd o weithwyr i gylch mor gyfyng yn siŵr o ddistewi'r genhadaeth Gristnogol yn y gornel dawel hon o Ynys Môn. Ar ddechrau'r chwedegau yr oedd yma saith o weinidogion ymneilltuol a dau offeiriad yr Eglwys yng Nghymru yng nghylch Cemaes ac Amlwch. Cyfarfyddem yn fisol fel brawdoliaeth i drafod llyfr o'n dewis ac yn bennaf dim i gymdeithasu â'n gilydd. Yn naturiol bu'r sôn a'r siarad am adeiladu Atomfa yn yr ardal yn gryn her inni fel gweinidogion yr Efengyl. Fe'n hwynebwyd yn gwbwl ddirybudd â sefyllfa gwbwl newydd a dieithr ac ni wyddem ar ba law i droi. Yr oedd y rhelyw ohonom yn tynnu 'mlaen mewn oedran a phrofiad yn y weinidogaeth. Y cam cyntaf a gymerwyd oedd gwahodd y Parch. Gwyn Erfyl o Drawsfynydd a oedd â phrofiad o sefyllfa debyg yno. Un cyngor go bendant a gawsom o'r Traws sef, ar gyfrif yn y byd peidio â gwrthwynebu'r cais am drwydded yfed ar y safle, byddai hynny yn cadw rhai cannoedd o weithwyr yn y camp ar y safle. Byddai hyn yn cadw'r dylifiad poblogaeth ar wahân. Ond diolch fyth fe deimlodd y frawdoliaeth yng Nghemaes yn wahanol ac y dylem wynebu'r her ac nid ei hosgoi. Teimlem er mor ddibrofiad yr oeddem y dylem ateb y cyfle. Cytunwyd ar ddau beth ar y cychwyn: yn gyntaf dim ein bod i dderbyn yr her o sicrhau y bydde yna dystiolaeth Gristnogol ymhlith gweithwyr yr Atomfa ac yna yn ail o dderbyn yr her ein bod i weithredu efo'n gilydd yn gyd-enwadol.

Y mae'n gof da gen i fel y bu i'r ymgyrch ein tynnu at ein gilydd a bod gennym un achos cyffredin yn yr her a'n wynebodd. Bu'r profiad yn amhrisiadwy i mi reit ar ddechrau fy ngweinidogaeth cael y teimlad ein bod yn torri llwybr newydd a chael anghofio enwadaeth a chapelyddiaeth – 'Wele fi'n gwneud peth newydd'. (Eseia 43: 18-19). Ond roedd rhaid symud ymlaen a rhoi ein hargyhoeddiad mewn grym. Yr oedd 'caplaniaeth mewn diwydiant' yn beth mor gwbwl newydd, mor ddiarth ac mor wahanol i'r weinidogaeth y'n galwyd iddi. Mae'n wir fod y math yma o weinidogaeth yn weddol gyffredin yn Lloegr ac mewn rhannau o Dde Cymru ond roedd yn gwbwl newydd yng Ngogledd Cymru a chofier nad yw Sir Fôn y lle gorau i fentro dim byd newydd, yn enwedig ym myd crefydd! Ond er hyn, anturio a wnaethom i geisio sicrhau Caplaniaeth amser llawn i'r Wylfa ac yn hytrach na chau y drws ar y gweithle ar eu safle, mentro i'w plith. Mentro i ddelio a gwrando â'r galwadau ac anghenion moesol a chrefyddol y dieithriaid hyn a ddaeth mor agos atom. Mi ganodd Ceiriog erstalwm am 'fugeiliaid newydd ar yr hen fynyddoedd hyn', doedd gennym ninnau ond gobeithio y gwelid *Bugail* newydd ar fynydd y Wylfa.

Rhoesom fel brawdoliaeth ystyriaeth ddwys i'r ddau gwestiwn sylfaenol: Pwy gawn ni fel Caplan? A sut i'w gynnal? Pwy fyddo â diddordeb yn y swydd tybed? Bu inni sylweddoli mor amharod oedd yr enwadau a gynrychiolem i wynebu'r her a godai mewn sefyllfa o'r math. Yr oeddwn i, fel yr ieuengaf o'r naw ohonom ond blwyddyn ynghynt wedi gadael y Coleg Diwinyddol wedi cwblhau cwrs mewn diwinyddiaeth a chwrs bugeiliol yn 1962, ond heb air o sôn am gaplaniaeth mewn diwydiant. Ond yr oedd rhai ohonom â diddordeb yn y math yma o weinidogaeth a buom yn ysgrifennu i wasg y gwahanol enwadau.

Ond cyn cael enwau yr oedd yn bwysig sicrhau cynhaliaeth i'r fath fenter, pwy oedd am ysgwyddo'r gost? Cytunem fel brawdoliaeth mai gan y Presbyteriaid yr oedd y peirianwaith orau i'r math yma o ofyn. Cysylltwyd â'r enwad hwnnw a chafwyd atebiad pur galonogol gan Syr Dafydd Hughes Parry – Llywydd y Gymanfa Gyffredinol yn Eglwys Bresbyteraidd Cymru. Cafwyd sicrwydd y byddent yn sicrhau lleiafswm cyflog gweinidog ar yr amod y byddai'r enwadau eraill a'r Eglwys yng Nghymru yn cyfrannu at y costau ychwanegol fel rhentu tŷ i'r Caplan a threuliau amrywiol. Wedi dipyn o bwyllgora trosglwyddwyd y trefniadau i bwyllgor ymgynghorol o'r frawdoliaeth gyda'r Parchedig Richard Williams Amlwch yn llywydd, Y Parchedig Morris E. Pugh, ficer Cemaes yn drysorydd a minnau'n ysgrifennydd – fu erioed driawd mor gytûn! Cawsom lythyr gan y Gwir Barchedig Gwilym O. Williams, esgob Bangor yn addo'i gefnogaeth lawn inni ac yn ein llongyfarch yn ein menter.

Tybed a fyddwn mor llwyddiannus yn y cam nesaf yn sicrhau Caplan? Bu rhai ohonom yn ddyfal a diwyd yn ceisio sicrhau enwau a cheisio meddwl am rywun a fyddai â diddordeb yn y swydd. Yr oeddwn yn adnabod Arthur Meirion er dyddiau Coleg ym Mangor a gwyddwn am ei gefndir a'i ddiddordeb mewn gwaith o'r natur yma. Bu'n ddrafftman gyda chwmni A.E.I. a G.E.C. ym Manceinion am ddeng mlynedd cyn mynd i'r Coleg. Fe symudodd o'i ofalaeth gyntaf yn Henaduriaeth Arfon i ofalaeth Saron a Grove Place ym Mhort Talbot, ardal gwbwl ddiwydiannol.

Ar Fawrth 10fed 1964 cyfarfu'r Pwyllgor i benodi Caplan. Cyflwynwyd enw'r Parchedig Arthur Meirion Roberts i sylw'r pwyllgor a chytunwyd yn unfrydol i estyn gwahoddiad iddo ddod yn Gaplan ar safle'r Atomfa yn y Wylfa. Cafwyd atebiad cadarnhaol a chafwyd pob rhwyddineb i'r penodiad hanesyddol, nid yn unig yr oedd gan Arthur beth profiad o'r gwaith ac roedd ganddo ddiddordeb neilltuol yn y math yna o genhadaeth Gristnogol. Fe sicrhawyd cartref i'r Caplan a'r teulu ym Maes Llwyn, Amlwch – stad o dai cyngor a godwyd i weithwyr yr Wylfa a'u teuluoedd. Yr oedd yn ddewisach gan y Caplan fyw yno, ymhlith y gweithwyr na byw yn y *Mans* bondigrybwyll. Bydd pob gweithiwr yn falch o adael y gwaith ar noswyl ac encilio o'i olwg. Byddai Caplan y Wylfa yn dod adref i ganol ei waith eto, yr oedd ef, a'i briod Morfydd, yn Gaplaniaid ar Faes Llwyn – stad o gant o dai. Yr oedd y Caplan yn byw, symud a bod ymhlith ei bobol a chredai fod ei benodiad yn un o'r arwyddion gobeithiol yn yr Eglwys. Yr Eglwys fel cyfrwng gwasanaeth ac ni ellir gwasanaethu dynion mewn gwagle. Rhaid eu gwasanaethu yn y man y maen nhw, a chyn y gwneir hynny'n effeithiol ac onest y mae'n rhaid dod i wybod beth yw eu hangen – dyna gyffes ffydd y Caplan.

Y Parch. Arthur Meirion Roberts: y caplan diwydiannol cyntaf yn y gogledd.

Os yw Mawrth 10fed, 1964 yn ddyddiad hanesyddol i Gaplaniaeth y Wylfa, yn sicr ddigon y mae mis Mai 1964 yn ddyddiad lawn cyn bwysiced – dyma'r mis y bu i'r Parch. Arthur Meirion ddechrau ar ei waith fel Caplan y Wylfa. Mewn anerchiad yn Sasiwn Seion Croesoswallt – Mai 1966 fe gyfeiriodd y Caplan at dri chwestiwn a ofynnir i'r Caplan sy'n dechrau ar ei waith mewn diwydiant: Pwy a'th anfonodd? Beth wyt ti ei eisiau? Ble buost ti cyhyd? Yr oedd Arthur yn ymwybodol iawn o'r tri chwestiwn yna ac roedd ganddo pob cydymdeimlad â'r gofyn. Fe allasai ateb y cwestiwn olaf yn gwbwl ddibetrus: 'Mi ddois y cyfla cyntaf a gefais!'

Ond cyn i'r Caplan gael ei draed dano yn ei waith fe'i blinid beunydd gan y byd a'r betws â chwestiynau, gan fod y gwaith mor newydd ac mor wahanol. Holent yn betrus: 'Pwy yw hwn mewn helmed diogelwch a choler gron heb yr un erfyn at ei waith?' 'Beth ydach chi'n ei wneud yma? Beth ydi lle a gwaith Caplan diwydiannol?' Math o gwestiynau digon rhwydd i bob gweithiwr a oedd ar y safle boed bennaeth, crefftwr neu labrwr. Ond beth fyddo ateb y Caplan i'r cwestiwn gan y Wasg a'r Cyfryngau? Yr oedd mor wahanol i bawb arall wedi'r cwbwl. Eto, fe deimla yntau ei fod yn rhan o'r tîm a oedd yn adeiladu'r Atomfa. Os oedd e' beth yn wahanol – *bod yno o gwbwl* oedd ei ran bwysicaf yn y gwaith – bod yno yn mynegi consyrn yr Efengyl am y cyfan o fywyd dyn.

Rhoesom ni y Pwyllgor Lleol bob rhyddid i'r Caplan chwilio'i ffordd a gweithredu fel y gwelai orau. Er y teimlem ei bod hi'n hynod o bwysig ein bod wrth law at ei wasanaeth a'i ofyn. Mae'n debyg mai'r gymwynas orau allem fod iddo oedd cwmnïaeth, yr oedd yn fywyd unig iawn er yn llawn prysurdeb. Ond lawn bwysicach na'r rhyddid a roesom ni fel pwyllgor iddo oedd y rhyddid a roes y gwahanol gwmnïau iddo ymweld â phob rhan o'r gwaith ar y safle i gyfarfod y gweithwyr. Cyfrifai'r Caplan hyn fel sail i'w holl waith gan na ellir gwasanaethu dynion mewn gwagle, rhaid i Gaplan, cyn belled â bo modd, fod yn rhan o'r gymdeithas y cais ei gwasanaethu. Ni olyga'r cysylltiadau hyn sgwrsio'n hirfaith â'r dynion wrth eu gwaith!

Ond, mae'r cysylltiadau hyn ar y safle ac yn arbennig yn ystod amser paned a phrydau yn holl bwysig ac yn arwain i gyfleoedd pellach. Roedd yr ymweliadau dyddiol hyn yn brif gyswllt y Caplan â'r cannoedd o ddynion wrth eu gwaith.

Fe gydnabu'r Parch. Arthur Meirion Roberts ei fod yn ddibrofiad i'r math yma o weinidogaeth ac mai chwilio'i ffordd a wna, eto, gwyddom fod ganddo'r weledigaeth honno, y dylem droi ein golygon oddi wrthym ein hunain i gyfeiriad y byd y tu allan inni. Fel Caplan mewn diwydiant credai Arthur nad cael pobol 'i'r capal' neu 'i'r eglwys' oedd ei waith, ond mynd â'r gwerthoedd a'r gwirioneddau y dylai capel ac eglwys eu cynrychioli, i gyrraedd pobol y tybiwn ni eu bod yn gwbwl ddieithr iddynt.

Pan holwyd y Parch. Arthur Meirion gan ohebydd y Cylchgrawn *Byw*: 'Beth yn union ydi gwaith caplan diwydiannol mewn ffatri neu atomfa?' Dyma'r ateb a roes y Caplan: 'Dwyn dynion i wynebu a thrafod cwestiynau sylfaenol, perthnasol am bwrpas bywyd a gwaith. Egluro na tydi caplan ddim yn cynrychioli Duw mewn diwydiant (fel yr awgrymodd un papur newydd ym Môn) ond ceisio dangos fod barn a gras Duw yno yn barod. Mae stori am Horst Symanowski, caplan ym Mainz-Kastel yn yr Almaen. Roedd o'n holi caplan ifanc o'r America am ei waith. "*I'm taking God into industry,*" medda hwnnw. "*Oh,*" atebodd Symanowski, "*how very interesting for Him. And tell me, where will you be taking him next.*" A'r peth olaf, a'r pwysicaf y mae caplan yn ei wneud, os ydio'n onest, ydi cyfaddef na tydi o ddim yn siŵr iawn beth mae o yn ei wneud. Heblaw chwilio'i ffordd yn dawel, gwrando a dysgu, osgoi unrhyw batrwm set, dilyn lle mae'r gwynt yn ei chwythu – mewn byd y mae'r Eglwys wedi ei anwybyddu, ei ofni a'i sarhau ers blynyddoedd.' Fe wyddom ni'n burion fel Pwyllgor y gaplaniaeth y bu i Arthur gadw at yr argymhellion yna ac ar waethaf pob anhawster yr oedd digon o dystiolaeth fod ei bresenoldeb yn cael ei werthfawrogi yn gyffredinol a'r gweithwyr hwythau yn gwerthfawrogi consyrn yr eglwysi amdanynt.

Ceisiwn ddilyn cerddediad y bugail a'r '*defaid eraill*':

(a) Treflan o gytiau pren

Codwyd treflan fechan, fel madarch, dros nos gyda chapel ac eglwys ac un dafarn ar gyfer chwe chant o grefftwyr teithiol. Yma y byddent yn bwyta, cysgu gan fwynhau eu hunain yn y dreflan dros dro ar bwys safle'r Atomfa, a oedd dan wyliadwriaeth drom. Y mae'r dreflan yn cynnwys tri ar ddeg o gytiau pren i gartrefu hanner cant o ddynion – dau i bob un o'r pump ar hugain ciwbiclau. Ceir yma bob cyfleustra i'r gweithwyr. Ar ddiwedd diwrnod gwaith fe ddeffra'r '*dref*' a'r bywyd yn troi o gwmpas clwb y camp lle ceir awyrgylch tafarn y pentref. Yn wir fe geir cyfforddusrwydd y cartref 'dros dro'. Yr oedd rhediad tawel a threfnus y dreflan dan ofal yr Uwchgapten James Cullen a'i brofiad hirfaith gyda'r Fyddin Sefydlog yn gaffaeliad iddo drafod pobol.

Ymwelai'r Caplan â holl breswylwyr y gwersyll, ar wahân i'r Pabyddion, fel y symudent i mewn, golygai ymweld â thua deg ar hugain o weithwyr newydd bob wythnos – gwaith a hawliai amser ac egni dyn. Ond, credai'r Caplan fod y gorchwyl arferol yma yn gwbwl hanfodol. Yr oedd yn gyfle i gyfarfod, croesawu, trafod a helpu'r gweithwyr ac yn waith a roddodd lawer iawn o foddhad iddo.

Adeiladodd un o'r prif gwmnïau, Taylor Woodrow, gapel bychan o fewn i'r 'dreflan' at wasanaeth y Caplan. Mae'n debyg mai gwasanaethau'r Sul yn y Capel oedd yr unig batrwm sefydlog i'w waith. Cynhelid gwasanaeth am chwarter wedi saith ar fore Sul i'r neb a ddymunai addoli ar y ffordd i'r gwaith. Yna cynhelid gwasanaeth am naw y bore gydag Astudiaeth Feiblaidd yn dilyn. Ceid eto wasanaeth yr hwyr am chwech o'r gloch gyda chynulleidfa o bymtheg i ugain, ond ceid cynulleidfa fwy ar achlysuron arbennig. Cyflwynwyd pulpud hardd o waith saer lleol – Humphrey Roberts at wasanaeth y capel. Mae'r pulpud hwnnw bellach yn Eglwys y Santes Fair Llanfair-yng-Nghornwy – hen Eglwys o'r ddeuddegfed ganrif.

Yn ystod y gaeaf ceid Cylch Trafod yn wythnosol yn Stafell Ddarllen y Camp. Tystia'r Caplan y bu hwn yn gyfle da iddo ddod i adnabod y gweithwyr ac iddynt hwythau adnabod y Caplan. Trefnodd Gylch Trafod hefyd, gyda'r prentisiaid ieuanc dan nawdd y Bwrdd Trydan Canolog (C.E.G.B.). Bu'r fenter yn brofiad gwerth chweil. Yr oedd y trafod ar raddfa eang yn ymwneud â phroblemau cymdeithasol a chwestiynau sylfaenol am bwrpas diwydiant ac ystyr gwaith a galwedigaeth. Ar sail ei berthynas â'r ieuenctid hyn fe wahoddwyd y Caplan i gyfarfod gwobrwyo'r prentisiaid cylch y gogledd-ddwyrain o'r Bwrdd ym Manceinion.

(b) Y sôn a'r siarad am y gwaith

Mae'n naturiol ddigon y byddo swydd mor newydd a gwahanol â '*Chaplan mewn Diwydiant*' yn siŵr o dynnu sylw'r Wasg a'r Cyfryngau. Yn wir tuedda'r Caplan i gwyno na chai lonydd i wneud ei waith gan gymaint y galw a oedd arno i egluro beth yn hollol oedd *ei waith*! Ond, heb os, yr oedd y siarad a'r sgwennu am y gwaith yn rhan bwysig *o'r gwaith* er dangos ac egluro fod y gaplaniaeth yn rhan o gyfrifoldeb yr Eglwys a esgeuluswyd gyhyd.

Rhan o'r ysgrifennu ydoedd paratoi adroddiad blynyddol am ei waith yn y Wylfa ar ffurf Cylchlythyr. Bu'r Cylchlythyrau hyn yn gyfrwng i'r Caplan gyrraedd y bobol hynny mewn diwydiant ac yn yr Eglwysi a ddangosai wir ddiddordeb yn y gaplaniaeth. Bu'r Cylchlythyrau yn gyfle da i'r Caplan fynegi ei ddiolch diffuant i'r bobol hynny yn y Wylfa a thu allan a fu mor garedig a chroesawgar iddo. Mae'r Adroddiadau hyn hefyd yn ddogfennau gwerthfawr a rydd ar gof a chadw brofiad personol ac onest y Caplan yn sôn am ei ymateb i'r gwahoddiad i fentro i'r swydd a sôn am y rhwystrau a'r rhwyddinebau a gafodd gydol y pum mlynedd y bu yno. Cyfrannodd y Caplan yn helaeth i gylchgronau'r gwahanol enwadau a fu'n gyfrwng i gadw diddordeb yn yr eglwysi hyn a oedd yn cyfrannu at gynnal y gaplaniaeth.

Y mae'r holl alwadau a chyfraniadau a wnaeth y Caplan mewn llun a llais yn llawer rhy niferus i'w cofnodi bob yn un ac un, nodaf rai yn unig:

Toc wedi un o'r gloch ar bedwerydd diwrnod y Caplan yn ei swydd newydd ac yntau ar ei ffordd o'i ginio yn y cantîn cyfarfu â Dyfed Evans – gohebydd *Y Cymro*, yn llwglyd am stori. Gwahoddwyd ef i'r swyddfa dan unto'r capel. Cydnabu'r Caplan mai newydd gyrraedd yno dridiau ynghynt yr oedd ac mai chwilio'i ffordd yr oedd. Ond yno, serch hynny y bu'r gohebydd, '*drwy'r prynhawn a'i biser bach yn fwy na llawn*'. Cafodd Dyfed stori dda wrth seiadu'n ddifyr. Stori newydd sbon am gaplan mewn diwydiant. Yn amlwg ddigon roedd y Caplan yn barod iawn i wynebu'r her a osodwyd iddo yn y penodiad. Ond cydnabu – 'Ni ddeuthum yma i'r Wylfa gyda syniadau pendant gosodedig fod rhaid gwneud hyn ac arall. Y gorchwyl cyntaf fydd ceisio rhoi ar ddeall i'r dynion fy mod at wasanaeth pawb yma.'

Diolch i'r *Cymro* a'i gohebydd eiddgar am fod ar y blaen i gyhoeddi'r stori i'r genedl. Agorwyd y drws i ohebwyr eraill a sawl dyddiadurwr arall.

Wedi dwy flynedd o brofiad yn y gwaith derbyniodd y Caplan wahoddiad gan BBC i ymddangos ar y rhaglen *Meeting Point* i'r gwylwyr *weld* sut yr â Caplan yn Atomfa'r Wylfa o gwmpas ei waith. Rhaglen oedd hon i bortreadu ei waith. Rhoed teitl anffodus braidd i'r rhaglen: *Hot Under the Collar.* Fu neb mwy hamddenol a digynnwrf na'r Parch. Arthur Meirion Roberts.

Cytunodd y Caplan i'r cynhyrchiad gyda pheth petruster, ond cytunodd fod y rhyddid a ganiateid iddo gyda'r sgriptio i fod yn gyfle da i geisio cywiro peth amheuaeth a chamddeall am werth a phwrpas yr eglwys mewn diwydiant. Fe gafwyd sawl rhaglen radio yn cyfeirio ac yn disgrifio gwaith Caplan y Wylfa a sawl sgwrs ac anerchiad ganddo ef ei hun a chan eraill. Ond cymaint mwy oedd yr argraff a gafwyd gan raglen deledu fel hyn, nid o'r stiwdio ond o'r fan a'r lle. Ei weld yn ei swyddfa'n cael enwau newydd ddyfodiaid, yn y cantîn yn cael ei ginio gyda'r dynion, yn taro sgwrs â'r dynion wrth eu gwaith, mynd i fyny ac i lawr yr ystolion ac ar y craen, a thrwy'r holl weithrediadau hyn yn cadw cysylltiad byw â phob cyflwr a gradd o ddynion. Gweld y Caplan eto, ym Maes Llwyn lle mae'r *dynion dŵad* a'u teuluoedd yn byw ac yntau yn cyd-fyw â hwy. Ei weld yn ymweld â'r teuluoedd hyn ac yn croesawu grŵp trafod ar ei aelwyd ei hun. Bu i Alan Prentice wneud defnydd mor effeithiol o'r camera gyda'i ddychymyg byw – tipyn o gamp. Heb os fe ddysgodd y gwylwyr lawer am waith caplan diwydiannol. Dyma ddefnydd effeithiol o deledu i ddangos i laweroedd ohonom yn ein cartrefi rywbeth na fyddem yn debygol o'i weld ar wahân.

Yn ôl gohebydd *Y Llan* – (Newyddiadur Wythnosol yr Eglwys yng Nghymru) 'Mi fyddai'n gwneud byd o les pe caem wared â thorllwyth o wasanaethau canu emynau ar y teledu a rhoi dim ond un neu ddwy o raglenni o'r natur yma mewn blwyddlyfr yn eu lle.' Bu'r rhaglen yn llwyddiant. Gwelodd y gwylwyr fel y llwydda'r Caplan i gyfathrebu â gweithwyr nad oedd ganddynt unrhyw ddiddordeb mewn crefydd, fel y gwasanaethodd ddynion o wahanol gredoau ac enwadau; ac fel y credai fod brenhiniaeth Duw dros yr holl greadigaeth – gan gynnwys gorsafoedd niwclear.

Ar ddiwedd Ebrill 1969 daeth tymor o bum mlynedd – cyfnod yr adeiladu'r Caplan, i ben. Yn gynnar ym mis Mai y flwyddyn honno gadawodd Arthur a'r teulu am Geneufor Arabia fel dirprwy-gaplan i gwmni olew yn Ahmadi, Kuwait. Dyma ddiwydiant cwbwl wahanol eto mewn sefyllfa hynod

Gwersyll i bum cant o weithwyr y Wylfa – gyda chapel, eglwys a chlwb nos

ddiddorol yn gymdeithasol, yn wleidyddol ac yn grefyddol. Yn Awst yr un flwyddyn dychwelodd i benodiad newydd fel caplan i ardal ddiwydiannol gogledd-ddwyrain Cymru. Penodiad ecwmenaidd gefnogwyd gan Gyngor Eglwysi dros Gymru.

Wrth *Gofio'r Wylfa* mae lle a lle pwysig iawn i'r Parch. Arthur M. Roberts yn y cofio hwnnw. Pe codir *Y Wylfa Newydd,* tybed a benodir Caplan eto?

Pennod 7

Teulu Caerdegog

Daeth tymor atomfa'r Wylfa i ben yn 2015 wedi dros ddeugain mlynedd o gynhyrchu trydan. Ers tro cyn hynny yr oedd swnian gan wleidyddion yr Ynys, Cyngor Sir y Cynulliad a San Steffan am gael atomfa arall – Wylfa B. Dim ond un atomfa a adeiladwyd yng nghyfnod Mrs Thatcher, honno yn Sizewell, er ei bod hi'n awyddus i weld un newydd bob blwyddyn. Doedd yna ddim sôn am ynni niwclear am flynyddoedd, nes i Blair gynnal arolwg ynni. Pan wrthodwyd yn yr arolwg, mynnodd Blair gael arolwg arall, a'r tro hwn cymeradwywyd adeiladu o leiaf hanner dwsin o atomfeydd, ond heb gyllid gan y llywodraeth.

Yn fuan iawn yr oedd Wylfa B yn destun sgwrs a thrafodaeth ym Môn eto ac yn arbennig yng nghylch Cemaes gan gwestiynu'n barhaus – '*Wylfa B to be or not to B?*' Gwelwyd archwilwyr tir yn cerdded y tiroedd o gylch y Wylfa ac amlwg fod Wylfa B yn mynnu llawer iawn mwy o dir na'r atomfa gyntaf, oddeutu 2.33 km sgwâr a olygai oddeutu saith gan acer. Yr oedd y diriogaeth yn ymestyn o Fae Cemlyn i'r Gorllewin hyd at Fae Cemaes i'r Dwyrain ac ar yr arfordir o Borth y Pistyll hyd at Borth y Wylfa. Mae'n amlwg fod yr adeiladwyr – Cwmni Horizon – is-gwmni i Hitachi, ar dipyn o frys gan iddynt brynu'r tir, y ffermydd a'r tai cyn sicrhau caniatâd cynllunio, ac wedi dymchwel llawer o'r tai yn ddiymdroi. Ac eto, er y chwalu a'r difrodi fu yr un gair o brotest am hynny gan wleidyddion na phobol sy'n galw'n groch ac yn cyhoeddi na fedrai Tryweryn arall ddigwydd. Dyna ddifrodi a diboblogi cymdogaeth dros nos!

Ond na, nid yn hollol ddi-brotest, yr oedd un llais, un teulu'n cyhoeddi'n bendant, *dyw'n ffarm ni ddim ar werth am unrhyw bris* – Richard a Gwenda Jones Caerdegog oedd y teulu hwnnw. Fel y cyfeiriwyd eisoes fu dim gwrthwynebiad pan ddaeth Wylfa A ychwaith, er y bu chwalu a dymchwel ychydig o dai a thyddynnod. Dim ond *un llais* eto y tro hwnnw. Yr oedd Esyllt Hughes i golli ei thyddyn pymtheg acer, y tyddyn hwnnw y rhoes hi a'i diweddar briod eu popeth ynddo. Rhoes y *Daily Express* ei dewrder yn bennawd pennod i'w hanes yn eu papur newydd – '*Won't Budge Widow Defies Atom Men*' – nid tyddyn o bymtheg erw oedd Tynymaes i Esyllt Hughes ond etifeddiaeth, ond pa les ymdrechu – sut oedd modd i wreigan eiddil ymladd yn erbyn cwmni mor bwerus. Yr hen stori o hyd – y bach yn erbyn y mawr; y gwan yn erbyn y grymus neu fel y dywedai'r Parch. John Williams Brynsiencyn yn un o'i bregethau – 'all cyfarthiad y corgi ddim atal yr Irish Mail'!

Beth tybed fu tynged y teulu arall – teulu Caerdegog? Aeth gwell na thrigain mlynedd er ymgais Esyllt Hughes i amddiffyn ei thyddyn ond bellach mae yma sôn am adeiladu'r ail atomfa – Wylfa B, ac mae angen llawer iawn mwy o dir i adeiladu hon. Ac eto fe lwyddodd Horizon i sicrhau'r tir a'r tai yn ddidrafferth iawn ac eithrio trigain a pum erw o dir Caerdegog – cartref Richard a Gwenda a'u plant – Elena, Anna ac Owain. Tybed a fydd cyfarthiad y corgi yn ddigon i atal yr Irish Mail? Mae'r ateb yn hawlio stori gyffrous.

Yr oedd cryn arbenigrwydd i Gaerdegog yn yr Oesoedd Canol pan is-rannwyd Ynys Môn yn rhanbarthau i bwrpas gweinyddu brenhinol a chasglu'r trethi a dyledion. Dyma'r rhan a elwid yn *gwmwd* ac yr oedd chwe chwmwd i Ynys Môn ac yr oedd un ganolfan faenorol a oedd yn ganolfan i bwrpas gweinyddu'r trethi o fewn y cwmwd. O fewn tiriogaeth Wylfa Newydd, sydd yng Nghwmwd Talybolion o fewn plwyfi eglwysig Llanfechell a Llanbadrig, y mae pedair *trefgordd – Cemais, Clegyrog, Llanfechell* a *Chaerdegog*. Yr oedd trefgordd Caerdegog yn cynnwys *maesdrefi* – (mesur llai o dir) sef Cafnan a Llandygfael.[1] Rhoes y Parchedig D.W. Wiliam inni fesurau'r trefi hyn a'r holl dyddynnod a'r ffermydd a berthynai i bob trefgordd:

Dyma diriogaeth Caerdegog yn cynnwys 2035 erw; Mynydd Mechell (heb gyfrif y tyddynnod) – 276 erw; Trefgordd Llanfechell 1126 erw; Pentref Coeden 220 erw. Cyfanrif erwau Plwyf Llanfechell yn 3637(?) o erwau. Felly trefgordd Caerdegog oedd y diriogaeth fwyaf ym mhlwyf Llanfechell.[2]

A symud o Gaerdegog y Canol Oesoedd i Gaerdegog diwedd y bedwaredd ganrif ar bymtheg a chawn fod Caerdegog y fferm a'r ffermwr yn chwarae rhan amlwg ym mywyd yr ardal. Brithwyd Hanes Amaethyddiaeth Cymru yn y ganrif hon â'r gwrthdaro parhaus rhwng gwas a meistr a rhwng meistr a'r landlord. Yr oedd bythynnod y gweision priod yn gwbwl anghymwys i neb fyw ynddynt a'r llofft allan (llofft stabal) i'r gweision sengl yn waeth fyth. Yn yr un modd yr oedd tai y ffermydd hefyd yn gwbwl anaddas i deuluoedd fyw ynddynt. Er i'r ffermwyr druan wario ar y tai ac ymdrechu i wella'r tir byddai'r landlordiaid yn codi'r rhenti heb unrhyw ystyriaeth i wario'r tenant yn gwella'r fferm. Cafodd sawl tyddynnwr a ffermwr eu troi o'u daliadau, yn gwbwl ddidostur am fethu â

---

[1] Asesiad Archeolegol ddarparwyd gan Andrew Davidson i EON (Rhagfyr 2009)

[2] Y Parchedig D.W. Wiliam: 'Llanfechell yn yr Oesoedd Canol' – Trafodion 2009, tud.51-65

thalu'r rhent. Daw adlais o'r ddrama Gymraeg inni o'r cyfnod yma, cyfnod yr oedd y ddrama yn ei phlentyndod. Un o'r dramâu mwyaf poblogaidd ym Môn oedd *Nora Plas y Foel* o waith J.R. Jones – protest yn erbyn y meistri tir yw'r plot confensiynol a'r stiward newydd Llewelyn Turner dan gawod o regfeydd y tenant. Caiff Marged Thomas rybudd ysgrifenedig i ymadael o Fryngolau, hen gartref y teulu. Mae'r hen wraig yn ennyn ein tosturi a'n cydymdeimlad yn syth pan ddywed – 'Mae gen i rywbeth i'w ddweud wrth gloddiau drain y lle yma.' Fe wyddai'r gwas a thenant y ffermydd yn iawn am orthrwm y cyfnod yma a bu ambell un blaenllaw yn ddigon hyf i fynnu cael gan y Llywodraeth, Gomisiwn Brenhinol i wrando'i cwyn a'i ple. Bu ymbiliau taer Tom Ellis gyda chymorth Lloyd George a Herbert Lewis yn fodd i'r Comisiwn Brenhinol ddod i Fôn. Ymwelodd y Comisiwn â Llangefni yn 1893 i roi cyfle i'r tenantiaid a'r landlordiaid leisio'i cwyn a rhoi darlun o'r sefyllfa amaethyddol ar yr Ynys ar ddiwedd y 19g.

Ond, un peth oedd cael y Comisiwn i wrando, pwy oedd am leisio a dadlau cam y gwas a'r tenant? Yr oedd ardal Cemlyn a Llanfair-yng-Nghornwy yn ffodus iawn fod ganddynt ladmerydd gwych ym mherson a chymeriad Owen Williams Caerdegog, ato ef yr elai'r gweision a thenantiaid yr ardal efo'i cwynion. Yr oedd yn ŵr amlwg yn ei gymdogaeth ac yn Ynad Heddwch. Yr oedd yn briod â Mary Arabella, merch y Garn Llanfair-yng-Nghornwy a oedd yn ddisgynnydd o deulu enwog Nanhoron yn Llŷn, ei mam yn ferch i'r teulu hwnnw. Ond yn wahanol i'r rhelyw o denantiaid y cyfnod yr oedd ganddo yr un cydymdeimlad â thrallod gwas y fferm a'r tyddynnwr tlawd ag at y tenant mwyaf. Pwy yn well i'w cynrychioli gerbron y Comisiwn Brenhinol?

Prif gwynion y tenantiaid i'r Comisiwn oedd yr anghyfiawnder dybryd o godi'r rhenti yn afresymol o uchel ar welliannau i adeiladau a thir y fferm a'r tenant druan wedi talu am y gwelliannau hynny. Cwynai'r gweision oherwydd cyflwr adfydus eu lletyau ac oriau'i gwaith yn llawer rhy faith. Dadleuodd Owen Williams yn ddewr a diwyro dros deulu bach a oedd wedi colli'r tyddyn oherwydd bod y tenant, gwraig weddw wedi priodi dyn nad oedd yr asiant yn ei gymeradwyo – er ei fod yn ddyn dibynnol a phrofiadol yng ngwaith y fferm. Yr oedd achos o'r math yn cynddeiriogi Owen Williams a mynnai gael tegwch a chyfiawnder i bawb. Mewn achos arall yn ardal Cemlyn oherwydd bod y tenant yn gymeriad syml a diniwed methodd dalu'r rhent yn ei bryd ac yn ei ofn a'i gywilydd dihangodd i'r Amerig gan adael ei wraig a chwech o blant. Er i aelodau o'r teulu dalu'r rhent ac addo parhau i wneud, doedd dim yn tycio. Ac er i'r tenant ddychwelyd a thalu'r rhent, doedd dim yn tycio eto fe'i trowyd o'u cartref. Dyma'r math o achosion yr ymdrechodd Owen Williams mor ddygn drostynt. Fe briodolai'r fath ymddygiad i'r asiantau anghyfrifol mewn awdurdod. Doedd y Comisiynwyr ddim yn gynefin â chymeriad di-dderbyn-wyneb fel Owen Williams mewn oes mor daeog, yn enwedig ynglŷn ag unrhyw gŵyn yn erbyn y tirfeddianwyr, ac yn arbennig i denant parchus ddadlau achos y gweision a thyddynwyr tlawd.

Gyda'r un angerdd y cyflwynodd Owen Williams ei achos ei hun i'r Comisiynwyr gan ddatgan i'w deulu fyw yng Nghaerdegog ers dros ddau gan mlynedd ac ar gyfrif llafur y teulu i wella'r fferm yr oedd perthynas arbennig rhyngddo a'r lle. Yn ôl tystiolaeth Owen Williams yr oedd y tir yn hynod ddigynnyrch, yn gorstir a llynnoedd yn y gaeaf, flynyddoedd yn ôl. Dros y blynyddoedd bu i'r teulu agor dyfrffosydd a draenio'r tir. Bu i Owen Williams ei hun ddraenio cynifer â mil o rydau ar gost o dri swllt y rhwd heb yr un ddimai at y gost gan y landlord. Bu iddo hefyd godi'r waliau yn gyfangwbwl ar ei gost ei hun. Yr oedd y tŷ mewn cyflwr cwbwl anaddas i neb fyw ynddo ac yn beryglus. Aeth Owen Williams at yr Asiant gan egluro'n fanwl gyflwr y tŷ ac i egluro'r gwaith a wnaeth ar y tir i'w sychu a'i wella. Addawodd yr asiant roi'r neges i'r landlord rhag blaen. Rhoes addewid am dŷ newydd ond y byddai raid codi'r rhent yn reit sylweddol. Derbyniodd Owen Williams y telerau gan gymeryd y landlord ar ei air, a chododd dŷ newydd. Gwariodd yn agos i £300 ynghyd â derbyn £90 o bunnoedd gan y landlord. Yn ychwanegol at hyn fe gododd adeiladau'r fferm hefyd a gostiodd £100 iddo. Fe wariodd gymaint â £500 ar y tir yn ystod pedair blynedd ar ddeg gan gredu y derbyniai degwch gan ei landlord fel yr addawodd.[3]

Ymhen dwy flynedd wedi'r holl wario derbyniodd Owen Williams lythyr gan yr is-asiant yn ei hysbysu bod Caerdegog ar werth am £2,000 neu £40 yr acer o rent. Rhoes yr asiant addewid mai ef a gai'r cynnig cyntaf i brynu am y pris hwnnw, ond os na fyddai yn barod i brynu yr oedd un o'r gymdogaeth yn fwy na pharod i'w phrynu. Yn hytrach na cholli ei gartref wedi gwario cymaint, prynodd Owen Williams ei gartref – Caerdegog, gan sicrhau'r Comisiynwyr y bu iddo, yn ôl prisiau tir yr ardal, dalu £500 yn ormod am ei gartref. Rhoes y pum can punt fwy fyth o haearn yng ngwaed Owen Williams. Trwy chwys ei wyneb y prynodd ei gartref a'r chwys hwnnw a wnaeth Caerdegog yn werthfawrocach fyth yn ei olwg.

Wedi cyflwyno'i gŵyn gydag arddeliad i'r Comisiynwyr

---

[3] E. Richards, *Ffarmwrs Môn (1800-1914)*, tud. 219-220

mynnodd Owen Williams gael cyflwyno hanesyn arall iddynt. Rhyw ddwy flynedd ynghynt, yn 1890 bu ymgais i atal y cyhoedd i fynd i draeth Cemlyn i gael tywod a gro. Daeth y gwaharddiad gan ddau asiant – Bodorgan a'r Garreglwyd yn enw'r Bwrdd Masnach. Cychwyn yr helynt fu i Owen Williams dderbyn bil £2.2.0 o'r Llys am iddo fynd i'r traeth i gyrchu tywod efo'r drol – cyhuddwyd ef o dresmasu. Ond roedd raid cael llawer mwy na bil o'r Llys i droi trwyn Owen Caerdegog.

Holodd y Comisiynwyr yn betrusgar pwy oedd y landlordiaid a roes y gwaharddiad i'r traeth. Cawsant yr ateb mai asiant Syr George Meyrick a'r Foneddiges Neave, yn enw'r Bwrdd Masnach a oedd yn gyfrifol am y gwaharddiad (cawsant ganiatâd y Bwrdd Masnach i ddefnyddio'u henw ar yr amod y byddent yn talu'r costau i gyd). Ond mynnai Owen Williams mai dilyn hen arferiad yr oeddynt wrth fynd i'r traeth efo'r drol i nôl tywod neu raean fel bo'r gofyn, ac ar sail hynny y gwrthododd y cais a ddaeth o'r Llys am dresmasu. Doedd dim amdani ond wynebu dedfryd y Llys.

Dyma adroddiad o ddyfarniad y Llys (bras gyfieithiad) o'r *Law Times* ar Fehefin 1892:

Traeth – Hirfeddiant

Perygl i'r gwahanfur naturiol i gadw'r môr draw:
Yn Llys Sirol Llangefni ar yr 17eg o Fai 1892 cyflwynodd Syr Horatio Lloyd y dyfarniad canlynol:

Achos y Bwrdd Masnach yn erbyn Owen Williams:
Yr Amaethwr a'r Tirfeddianwyr

Rhoes y barnwr ystyriaeth ofalus a manwl i'r achos gan ymweld â'r llecyn ar draeth Cemlyn. Y mae'r man y cymerwyd y gro a'r graean islaw craig o 20-24 troedfedd sydd yn derfyn i'r tir, cymerwyd y gro tua naw llath i gyfeiriad y môr o'r graig. Haera'r diffynnydd fod y llecyn yma ar ei dir rhyw filltir o Gaerdegog ac maent wedi arfer ers llawer iawn o flynyddoedd gario tywod a gro yn ddi-baid ac yn ddiwahardd ac fe honna hefyd fod ganddo yn rhinwedd Deddf Herfeddiant (*Prescription Act*) bob hawl i wneud hynny. Yn erbyn Owen Williams y gwnaed y gŵyn er bod hen ŵr, Richard Williams, wedi byw yno ar hyd ei oes ac wedi arfer yr hawl heb unrhyw ymyriad. Yr oedd amryw o dystion pwysig eraill. Owen Parry, hen ŵr pedwar ugain a phump oed wedi ei eni dwy filltir o'r lle, a ddywed y byddai holl denantiaid y plwyf yn cario tywod a gro o'r traeth. Tystiolaeth gyffelyb oedd gan John Williams, John Thomas a Lewis Williams a oedd yn amaethwyr parchus, a dywedent eu bod hwy a'u teuluoedd wedi arfer mynd i'r traeth yng Nghemlyn i gyrchu tywod a gro. Fu yna erioed ymyriad na rhwystr yno ac eithrio unwaith pan rwystrodd Thomas Pritchard (asiant Syr Meyrick) ddyn rhag cymeryd gro o lecyn uwchlaw llinell terfyn llanw'r môr. Deil y barnwr y gellir sefydlu drwy gyfraith fraint a hawl y diffynnydd Owen Williams. Yr oedd y barnwr o'r farn fod y diffynnydd wedi profi ei deitl o dan *Ddeddf Henfeddiant* i fynd i draeth Cemlyn i gymeryd gro, tywod a gwymon at ddefnydd ei fferm.

Dyfarnodd y barnwr, o berthynas i'r gŵyn am dresmasu fod y diffynnydd wedi profi ei hawl i gymeryd gro a thywod o'r lle hwn a gwrthododd y gwaharddiad. Caniatawyd costau'r diffynnydd ar y raddfa uchaf gan fod yr achos yn un o ddiddordeb cyffredinol.

Y fath fuddugoliaeth, aeth Owen Williams adre i Gaerdegog yn teimlo'n fwy na choncwerwr. Aeth adref i groeso'i gyfeillion a'i gymdogion a oedd yn dathlu'r fuddugoliaeth. Dathlu yn null yr oes trwy gynnau coelcerth nid cyhwfan baneri fel y gwneir heddiw. Yn oes Owen Williams coelcerthi oedd y ffordd i ddathlu digwyddiadau o bwys a choelcerth fu'r dull yng Nghaerdegog y diwrnod hwnnw i gyhoeddi'n weladwy i bawb fod un tenant a fu'n ddigon dewr i sefyll yn erbyn y tirfeddianwyr a'i hasiantau. Yn ddiddorol iawn mae'r enw'n aros hyd heddiw ar **Cae Goelcerth** yn Caerdegog. Beth sydd yna mewn enw? – dyma enw cae yn cynnwys rhwng ei gloddiau ddarn pwysig o hanes!

Ar ôl canrif a hanner bron dyma Caerdegog yn y newyddion eto gyda'r un teulu yn dal yma ers bron i bedwar can mlynedd – Eirlys, yn wyres i Owen Williams, a'i mab Richard a Gwenda ei briod a'u plant hwythau – Elena, Anna ac Owain.

Fel y bu i'r llythyr hwnnw, a'r bil am dresmasu, a dderbyniodd Owen Williams yn 1890 agor y drws i wrthdaro rhyngddo â dau landlord a'u hasiantau; felly hefyd y bu i alwad ffôn, amser paned ddeg, dderbyniodd Richard a Gwenda yng Ngorffennaf 2011 agor y drws i gryn wrthdaro rhyngddynt â Chwmni Horizon a oedd am brynu rhan go helaeth o dir Caerdegog yn rhan o diriogaeth y Wylfa Newydd. Cwmni estron pwerus iawn yw'r tirfeddiannwr erbyn hyn a gor-ŵyr i Owen Williams sy'n amddiffyn ei etifeddiaeth. Yn ôl Geiriadur Prifysgol Cymru, mae yna ystyron eang iawn i'r gair – *meddiant* a *meddiannu,* meddiannu tiroedd a wnaeth y landlordyn ym mhob oes yn ddigon diegwyddor yn aml. Yr oedd yn amlwg ddigon yn hanes Owen Williams Caerdegog mai nid y fo feddiannodd y tir ond yn hytrach y tir a'i meddiannodd ef! Ac oherwydd i'r tir feddiannu'i or-ŵyr y bu'r gwrthdaro rhwng Richard Jones Caerdegog a Chwmni Horizon a oedd am fynnu meddiannu'r tir.

Ia, galwad ffôn fu cychwyn y ffrwgwd a barodd gryn boen a phryder i deulu Caerdegog. Arolygwr tir o gwmni Fisher Germer oedd ar y ffôn y bore hwnnw, galwad digon ffwrdd a hi, yn gofyn ga'i o alw heibio iddynt, rywbryd wythnos nesa, cytunwyd, pam lai? Ond pan ddaeth wythnos nesa roedd yna ddau arolygwr tir! Yr oedd yn amlwg wrth holi'r ddau mai prif amcan eu galwad oedd ceisio caniatâd i gael arolwg ecolegol ar dir Caerdegog. Synhwyrodd Richard a Gwenda fod yna rhywbeth digon amheus yn eu cais a dyma'i wrthod yn ddiseremoni. Ymhen pythefnos galwodd yr un dau yng Nghaerdegog eto ac yn teimlo'n llawer mwy cartrefol y tro hwn. Daeth amcan eu hymweliad yn amlwg ddigon a chyhoeddodd un ohonynt – 'Dichon,' meddai, 'y bydd gan Horizon ddiddordeb mewn prynu peth o'ch tir.' Fferrodd Richard a Gwenda o glywed y ddau air – Horizon a prynu. Troes y ddau air yn fygythiad haerllug. Cododd Richard ei lais beth gan roi ar ddeall i'r ddau, *nad oedd Caerdegog ar werth na chymaint â lled troed o'i thir am unrhyw bris*. Tybed ai dyma'r diwedd? Na, daeth galwad eto gan yr un rhai, ond y tro hwn bydd ganddynt fap er mwyn dangos yn eglur faint y tir maent yn arfaethu'i brynu. Daeth y map yng nghesail rhyw e-bost. Bu un olwg ar y map yn ddigon. Yr oeddynt i golli cymaint â thrigain a phum erw o'r tir gorau ynghyd ag ugain erw o dir yr oeddynt yn ei rentu. Byddai colli'r mesur yma o dir i fferm laeth yn godro pedwar ugain o fuchod yn ddiwedd ar eu ffordd o fyw yng Nghaerdegog. Colli'i bywoliaeth a darnio tir eu cartref – etifeddiaeth o bedwar can mlynedd yn darfod, yn diweddu am byth. Oes raid?

Daeth y cynrychiolwyr draw eto, deil y teulu i gofio'r dyddiad, Awst 17eg, 2011. Yr oedd tinc awdurdodol yn eu lleisiau y tro hwn – pwy a feiddiai eu gwrthsefyll? Yn gwbwl oeraidd rhoesent ar ddeall i Richard a Gwenda os na fyddent yn cytuno i'w pris a'u telerau hwy, yna byddai raid iddynt osod gorfodaeth gwerthu arnynt ac fe olygai hynny y byddent yn llawer iawn gwaeth allan. Yr oedd y pryder a'r ofn yn dwysau a gwelai'r teulu y bygythiad yn dod yn wir, er hyn fe roes Richard ddarn helaeth o'i feddwl i'r bytheiaid cyn iddynt adael – *'Tydi Caerdegog ddim ar werth i neb am unrhyw bris ac rwy'n barod i fynd i unrhyw lys barn dros fy safiad.'*

Yr oedd hi'n Brimin Môn cyn diwedd y mis – a bydd pawb yn mynd i'r primin! Ond roedd y cwmwl yn tywyllu fwyfwy uwchben Richard a Gwenda, sut y byddo modd mwynhau dan y fath amgylchiadau. Aeth y ddau yn syth i Stondin y Cyngor Sir i gael golwg ar fap mawr a oedd yn amlinellu tiriogaeth y Wylfa Newydd. Ond er syndod doedd yr un llathen o dir Caerdegog ar y map! Ond yn fwy fyth o syndod doedd gan swyddogion y Cyngor ddim ateb i'r dryswch. Siawns na ŵyr Tîm Ynys Ynni, ond roeddynt hwythau'n fud er iddynt ymdrechu'n ffrwcslyd i roi ateb. Doedd fodd cael ateb o unman. Yr oedd pob lle i gredu, tybed a oedd gan y Cynulliad ddeddfwriaeth gyfreithiol mewn grym a oedd yn cefnogi datblygiad niwclear yng Nghymru?

Aeth Richard a Gwenda adref o'r primin yn bendrist iawn ac yn llawn eu pryder yn wyneb y fath fygythiad, fferm y teulu wedi troi'n gartref ansicr. Fydd yna ddim tosturi gan y landlordyn yma eto mwy ag a gafodd ei hen daid dros ganrif yn ôl. Erbyn mis Medi 2011 yr oedd y sefyllfa yn annioddefol i deulu Caerdegog, dim ond disgwyl galwad ffôn neu e-bost a hwythau mor ddiymadferth. Pa les ymdrechu yn erbyn y fath rym – does neb all sefyll yn erbyn Horizon i gael ac i gyrraedd eu diben yn sicrhau tiriogaeth i'r Wylfa Newydd. Yn y fath gyfwng bu iddynt droi at y mudiad PAWB (Pobol Atal Wylfa B) a chael ymateb cyfeillgar gan Dylan Morgan a Robat Idris, bu'r ddau yn gwmni, yn gyfeillion ac yn gymhelliad iddynt ddal ati a pheidio ildio. Fe deimlodd Richard a Gwenda bellach fod ganddynt rywun i droi atynt, pe ond am sgwrs ac yn enwedig gyfarwyddid.

Aed ati yn ddiymdroi i lythyru ac i gysylltu â chylch eang i gasglu cefnogaeth i'w hachos. Aeth Cegin Caerdegog yn swyddfa brysur i ohebu â hwn ac arall. Yn ffodus ryfeddol yr oedd Gwenda yn ysgrifenyddes brofiadol ac fe wyddai i'r dim sut i gadw'r cofnodion yn drefnus a chymen. Cafodd yr Aelod Seneddol o'r Cynulliad, y Wasg leol a'r Cyfryngau wahoddiad i ymateb i'w pryder. Cyn pen dim daeth gwahoddiad gan y Wasg a'r Cyfryngau am gyfweliadau. Aeth yr aelwyd dawel ddistaw yn aflonydd a swnllyd a hwn ac arall yn holi am y stori. Yn naturiol yr oedd Richard a Gwenda mor ddibrofiad i sefyll o flaen y meic didostur yn ceisio ateb cwestiynau heb gyfle i baratoi. Ond, yr oedd y ddau wedi cael cyfle yn yr Ysgol Sul yng Nghemlyn ac yn Llannerchymedd a hynny yn fantais fawr i'r ddau i ddweud gair yn gyhoeddus. Mae hi'n syndod beth fedrwn ni pan ddaw hi'n rhaid arnom! 'Wyddwn i ddim y medra i nofio nes imi ddisgyn i'r llyn,' meddai'r dyn hwnnw. Chafodd Caerdegog erioed fwy o sylw – yn y Wasg ac ar y Cyfryngau, tudalen flaen y *Daily Post* yn sôn am ffermwr lleol yn gwrthod gwerthu ei dir i Horizon! Yn naturiol doedd pennawd o'r math ddim yn dderbyniol o gwbwl gan y Cwmni ac i deulu Caerdegog ennyn cefnogaeth y cyhoedd. Bu iddynt newid tacteg a defnyddio dipyn o ddoethineb a chyfrwystra gan gredu fod mwy nag un ffordd o gael Wil i'w wely. Bu iddynt ddiddymu'r bygythiad o bryniant gorfodol. Ond yr un oedd ateb y teulu – *d'yw Caerdegog ddim ar werth am unrhyw bris.*

Gydag amser fe fagodd Richard gryn hyder a daeth yn llais cyfarwydd ar Radio Cymru ac yn wyneb adnabyddus ar S4C. Cafodd hwyl neilltuol gyda Dylan Jones ar raglen Taro'r Post pan ddyfynnodd gerdd enwog – T.H. Parry-Williams – *Hon*:

Ac mi glywaf grafangau Caerdegog yn dirdynnu fy mron
Duw a'm gwaredo, ni allaf ddianc rhag hon.

Yr oedd yna ryw ddwyster a theimlad yn ei lais, dull yr hen bregethwyr! Yna ym mis Hydref 2011 fe welwyd Richard y tro hwn ar raglen *Ffermio* S4C gyda Daloni Metcalfe, y ddau yn sgwrsio'n ddiddan – telediad cwbwl naturiol a Richard yn manteisio ar bob cyfle i sgorio. Bu sawl cyfweliad gafaelgar gan Richard ar y Cyfryngau yn arbennig a sawl un yn y Wasg Gymraeg a Saesneg. Fe aeth o nerth i nerth a'r gefnogaeth i'w hachos yn cynhesu ac yn cryfhau.

Ar wahân i ddiddordeb naturiol y Wasg a'r Cyfryngau yn y stori fe gafodd y teulu ymweliadau diddorol a hynod o annisgwyl. Yr oedd Christian Petersen, myfyriwr o Lerpwl, ar ymweliad â'i gyfaill ym Mhorthaethwy ac yno y clywodd saga Caerdegog gyda diddordeb neilltuol. Daeth draw i Gaerdegog ar y bỳs a Richard yn ei gyfarfod yn Amlwch – yr oedd ei acen yn ei gyhuddo'n syth, ei wallt yn llaes a di-raen a'i wisg yn anniben gynddeiriog, ond tu ôl i'r annibendod yr oedd un o'r cymeriadau anwylaf ac addfwynaf – *nid wrth ei big mae prynu cyffylog*. Myfyriwr yn Llundain oedd Christian ar y pryd yn dilyn cwrs ôl-radd mewn Ffoto Newyddiaduriaeth. Ei fwriad oedd sylfaenu ei draethawd hir ar Ynysoedd y Farol gan fod gan ei dad gysylltiad â'r Ynysoedd hynny. Fe'i cyfareddwyd i'r fath raddau â bywyd cefn gwlad ac yn arbennig â helynt teulu Caerdegog. Bu'n brysur ryfeddol efo'i gamerâu yn casglu pob manylion am fywyd fferm a theulu a oedd mewn cryn argyfwng yn ofni colli eu bywoliaeth. Llwyddodd i gael un llun neilltuol iawn o un o'r lloeau – llo bach pendrist â deigryn yn ei lygaid, pwy ond artist fyddo'n ddigon craff i sylwi? Mynnai Christian mai deigryn o gydymdeimlad â'r teuluoedd hwn! Ymunodd y myfyriwr efo ni yng Nghapel Cemlyn, mor gartrefol â phe bae wedi ei fagu yno. Cafodd yr ymweliad am y ddeuddydd y fath argraff arno fel y penderfynodd newid testun ei draethawd i *Stori Caerdegog*. Ar ei daith i'r Unol Daleithiau cafodd Christian gyfle i ddangos **Caerdegog** mewn Arddangosfa yn Efrog Newydd. Does bosib na sychodd rhywun ddeigryn y llo bach pendrist!

Myfyriwr oedd yr ymwelydd arall a ddaeth i Caerdegog. Yn wahanol i Christian Petersen doedd gan Cefin Roberts ond ychydig iawn o wallt, yr oedd ei wisg yn raenus, ond yn wahanol. Yr amryddawn Cefin Roberts, Cyd-gyfarwyddwr Ysgol Glanaethwy, ond nid côr na chanu oedd ei neges yng Nghaerdegog y diwrnod hwnnw. Yr oedd Cefin yn fyfyriwr yn Ysgol y Gymraeg ym Mhrifysgol Bangor ar y pryd ac yn synhwyro fod stori Caerdegog yn rhoi cefnlu diddorol i'w nofel – *Os na ddôn nhw ...*, nofel â'i chefndir yn symud rhwng cefn gwlad Sir Fôn a'r theatr leol a'r byd teledu yng Nghaerdydd. Y nofel hon oedd ei draethawd hir ar gyfer ei radd doethur.

Ond heb os, ymweliad Naoto Kan, cyn Brif Weinidog Siapan fu'r ymwelydd mwyaf annisgwyl i Gaerdegog, a ddaeth ar gost a chyfrifoldeb Carl Clowes o'r Groes Werdd a Dylan

Morgan a Robat Idris o Fudiad PAWB. Wedi cyfarfod yng Nghaerdydd, drannoeth teithiodd Naoto Kan a'i ddirprwyaeth i'r Fali ym Môn ac ymlaen i safle'r Wylfa a chynnal protest y tu allan i'r Atomfa. Cyflwynodd y cyn Brif Weinidog araith bwerus a oedd yn llawn teimlad – dyn yn dweud ei brofiad personol, trwy ei gyfieithydd. Rhybuddiodd am beryglon ynni niwclear yn dilyn trychineb Fukushima. Oddi yno ar ddymuniad yr ymwelydd dieithr aeth ef a'i osgordd draw i Gaerdegog i fwynhau croeso a phaned a chyfle i sgwrsio a holi â'r cyfieithydd druan yn llwyddo i fodloni pawb. Cafwyd sawl llun i nodi achlysur mor neilltuol ac yn briodol iawn fe ymddangosodd un o'r lluniau yn y *Farmers Weekly*. Fe derfynwyd y diwrnod mewn Cyfarfod Cyhoeddus yng ngwesty Carreg Frân, Llanfairpwll.

Cafodd Richard wahoddiad i annerch dau gyfarfyddiad cyhoeddus i gyflwyno ei achos, ei gŵyn a'i ble. Mae'n amlwg y bu iddo fagu mwy o hyder, fel siaradwr gan lwyddo i gael ei neges trosodd. Rhoes gyfrif da iawn ohono'i hun mewn cyfarfod cyhoeddus: *Cymru Werdd Ddi-Niwclear*. Cyfeiriodd at ei hen daid Owen Williams Caerdegog yn ôl ar ddiwedd y 19g ac fel yr enillodd achos llys yn erbyn dau asiant o stad Bodorgan a'r Garreglwyd Llanfaethlu. Soniodd gyda chryn arddeliad fel y bedyddiwyd un o gaeau Caerdegog yn **Cae y Goelcerth** – lle bu'r dathlu pan ddaeth adref.

Bu iddo gloi yr araith honno yn hynod o effeithiol, bu i'r gynulleidfa sefyll ar ei thraed mewn cymeradwyaeth pan ddywedodd: 'Fedrai ond gobeithio fy mod wedi etifeddu peth o angerdd a styfnigrwydd Owen Williams fy hen daid, ond yn fwy na dim rwy'n gobeithio y bydd Cae Goelcerth unwaith eto yn wenfflam!'

Mewn darlith – *Brwydr Wylfa B* i Ganolfan Uwchgwyrfai yr

oedd Robat Idris yn bur feirniadol o dactegau trahaus Horizon yn erlid teulu Caerdegog a fynnai gadw eu tir a dal i ffermio fel y buont ers cenedlaethau. Synnai, er dymchwel gryn ugain o dai yn yr ardal a difetha saith gant a hanner o erwau o dir amaethyddol da, eto chododd neb fys yn erbyn y peth. Holodd, oni fyddai strategaeth economaidd amrywiol yn llawer gwell er mwyn cadw'n pobol ifanc. Y gwir yw bod ynni adnewyddol a thechnolegol storio trydan yn prysur ddisodli niwclear fel dull cost-effeithiol o gynhyrchu ynni, ac yn cynnig mwy o swyddi. Dagrau pethau fyddai i Fôn fethu â manteisio ar y diwydiannau newydd drwy fynnu anwylo'r deinosor niwclear gwenwynig.

Mae'n debyg mai Rali yn Llangefni ar bnawn Sadwrn ym mis Ionawr 2012 fu'r cyfarfod cyhoeddus mwyaf grymus dros *Ymgyrch Caerdegog*. Trefnwyd y rali ar y cyd rhwng *Cymdeithas yr Iaith; PAWB* a *Greenpeace*. Mae hi'n ddigon tawel yn nhref Llangefni ar bnawniau Sadwrn yn y gaeaf ond bu i sŵn y drwm a'r band o Wrecsam greu cryn gynnwrf a chodi ysbryd pawb. Gorymdeithiwyd i sŵn y band o gylch y dref, tyrfa o dros dri chant o bobol a phlant.

Rhoes Angharad Tomos grynodeb gofalus o'r rali yn ei cholofn o'r *Herald*, sylwodd mai criw cymysg oedd yno, cenedlaetholwyr, cefnogwyr PAWB, myfyrwyr, pobol hŷn, plantos ar ysgwyddau ei rhieni, pobol o Hinkley Point yng Ngwlad yr Haf (lle mae gorsaf niwclear) a Byddin Clowniau o Aberystwyth. Teimlai Angharad y cynhyrfwyd y dyfroedd yn Llangefni yn rali'r Sadwrn hwnnw ym mis Ionawr 2012 a theimlodd fel codi ei het i deulu Caerdegog am gynnal y frwydr hon. 'Achos yn y bôn, brwydr y bach yn erbyn y mawr yw hi, brwydr y gwâr yn erbyn yn anwar, brwydr y cadarn yn erbyn y bwli, a brwydr hen, hen hanes yn erbyn landlordiaid newydd,' meddai.

Ond heb os seren y rali oedd Richard Caerdegog ac roedd llygaid y dyrfa arno yn disgwyl araith ganddo. Yr oedd Richard, Gwenda a'r plant yn llawn eu rhyfeddod a'i diolch o weld y fath dyrfa amrywiol yn cefnogi ei hachos. Safodd Richard ar fainc o flaen tafarn y *Bull* gyda'r meic didostur a thyrfa o bobol o'i flaen, dipyn o her i siaradwr dibrofiad. Cychwynnodd ei araith yn dawel a gofalus gan gryfhau yn raddol. Ar waethaf fflachiadau'r camerâu heb bulpud na bwrdd i guddio tu ôl iddynt, anturiodd gan gyflwyno eu dilema fel teulu yng Nghaerdegog:

Yn gyntaf, dwi eisiau diolch am y gefnogaeth. Mae'r gefnogaeth rydym wedi ei chael dros y misoedd diwethaf wedi bod yn anhygoel. Mae brwydr teulu wedi mynd yn frwydr cenedl, ac yn ddiweddar, y frwydr ryngwladol.

Tydwi ddim yn siaradwr cyhoeddus, ond dwi'n teimlo oherwydd yr amgylchiadau fod dyledswydd arnaf i wneud be fedrai i achub yr hen gartref. Mae'r teulu wedi bod yng Nghaerdegog ers canrifoedd. Nid ar chware bach fedrwch chwi adael i beth felly fynd. Mae yr enw yn dyddio'n ôl i Oes y Tywysogion, ac wedi chwarae rhan amlwg yn hanes Cymru.

Mae rhai pobol yn methu deall – sut mae gynno ni gymaint o afael ar y tir. Ond mae T.H. Parry-Williams wedi deall:

> 'Ond mi glywaf grafangau Cymru yn dirdynnu fy mron,
> Duw a'm gwaredo, ni allaf ddianc rhag hon.'

Y tir sydd wedi gafael ynom ni, a gwae neb fyddo'n trio ei rwygo yn rhydd.

Bymtheg mlynedd yn ôl mi ges i'r anrhydedd o gael fy ordeinio yn flaenor yng Nghapel Siloam, Cemlyn a gofynnwyd inni astudio'r 21ain bennod o Lyfr Cyntaf y Brenhinoedd. Ychydig feddyliais bryd hynny pa mor berthnasol i mi fyddai'r bennod yna yn fy mywyd heddiw.

Hanes ydyw am ŵr o'r enw Naboth oedd yn gyfrifol am winllan ar gyrion tir y brenin Ahab. Roedd Ahab eisiau prynu'r winllan, ac er iddo gynnig arian a thiroedd yn ei lle, gwrthododd Naboth ei gwerthu, oherwydd mai hon oedd ei etifeddiaeth. Pwdodd Ahab ac aeth i'w wely a gwrthod bwyta. A dyma ei wraig – Jesebel yn cymeryd yr awenau yn ei dwylo'i hun a llwyddo i ddwyn gwarth ar Naboth a chael dau ddihiryn i ddweud ei fod wedi sarhau ei dduw a'r brenin.

Canlyniad hyn oedd i Naboth gael ei erlid a'i ladd. Dydi hyn ddim wedi digwydd eto imi? – ond amser a ddengys.

Roedd y ffordd yn glir wedyn i Ahab fynd i'r winllan a'i meddiannu. A thra roedd yno daeth y Proffwyd Elias yno efo neges gan Dduw, y caiff ddioddef yn fawr am ei weithred. Mae Ahab yn dychryn, yn edifarhau ac yn cael maddeuant – am y tro. Ond caiff wybod y byddai'r genhedlaeth nesaf yn dioddef i'r eithaf. Tybiaf fod yr hanes yma yn rhybudd i'r Jesebel gyfoes – sef Cwmni Horizon. Os y bydd yn parhau efo'i gweithredoedd barus, bydd pris i'w dalu. A thybed nad y ddau ddihiryn yw ein gwleidyddion ni yn lleol a chenedlaethol? (Cymeradwyaeth) A'r dioddefaint fydd y gwastraff niwclear gaiff ei ddioddef gan ein plant a phlant ein plant.

Mae'r rhybuddion i gyd yno. Rhaid inni ddysgu gan hanes. Ac fel y canodd Linda Healey, 'Cofeb ein methiant yw ein Tryweryn'.

Diolch.

(Araith Richard air am air fel ei traddodwyd.)

Pedair cenhedlaeth o deulu Caerdegog gyda Naoto Kan, cyn Brifweinidog Siapan yn 2015.

Wedi'r areithiau, y dadlau a'r protestio, yr ymweliadau cyfeillgar ac amrywiol a'r llythyru – Papur degpunt yng nghesail pwt o lythyr – 'i helpu gyda'r costau – Wyn ac Ann Caerfyrddin'. Llythyr o'r Almaen yn cynnig cefnogaeth ariannol i ymladd unrhyw achos Llys. Cyfarchion, Cydymdeimlad a Chefnogaeth a fu'n foddion i gynnal teulu Caerdegog yn eu pryder a'u poendod o golli eu hetifeddiaeth. Mor wir yw geiriau Ian Niall – *'Yn ddiddorol iawn mae'r Cymry yn medru cydymdeimlo'n reddfol â'r unigolyn a saif yn erbyn awdurdod.'*[4] Mor wir yn hanes Eirlys, Richard, Gwenda a phlant Caerdegog.

Ond diolch i Manon Wyn Williams am droi Richard a Gwenda yn *Sêr Ffilmiau* fel y ddau brif gymeriad yn y ddrama *Hollti* a gynhyrchwyd gan Theatr Genedlaethol Cymru. Bu'r

[4] Ian Niall: 'Poaching is a dying art', *Country Quest* 1962

cynhyrchu'n wych, fe bortreadwyd y ddau mor rhyfeddol o gywir. Mi fydd y ddrama nodedig yma yn gofair deilwng i'r teulu am eu dewrder, eu dygnwch a'u dyfalbarhad. Yn wyneb y fath bwysau fe gydnebu Horizon nad oeddynt i ymlid yr achos ymhellach a'u bod i weithio o gwmpas ei bwriad gwreiddiol.

Pennod 8

Ni Adawyd Maen ar Faen

Y mae tiriogaeth Wylfa Newydd yn meddiannu saith gan erw ar arfordir Gogledd Môn, yn ymestyn o Fae Cemlyn i'r gorllewin ac i Fae Cemaes i'r dwyrain, gyda dau blasty bychan ar y naill ben – Cafnan a Park Lodge. Gan mai tir amaethyddol yw'r diriogaeth mae'n naturiol mai tyddynnod a thai fferm yw'r rhelyw o'r annedd-dai. Bu raid dymchwel y rhelyw o'r tai hyn o fewn libart yr Atomfa. Ond nid tai mohonynt, yn hytrach cartrefi ac enw ar bob un ohonynt nid rhifau, enw yn dynodi rhyw ystyr arbennig a nodwedd i'w gwahaniaethu. Ffurfient gymdogaeth a chymuned arbennig, darn o gefn gwlad gyda ffyrdd culion a chloddiau uchel yn dolennu o dyddyn i dyddyn ac o fferm i fferm. Ond fe'i dymchwelwyd mor ddirybudd ac mor ddiseremoni, digwyddodd, darfu fel pe bae rhyw ddewin cudd wedi'i chyffwrdd â'i hudlath. Y tarw dur didostur yn pwnio a dyrnodio – y llwch yn codi'n gymylau llwyd a'r cerrig yn powlio'n ddigyfeiriad – y cerrig y bu rhyw saer maen cywrain yn eu dethol a'u dewis, yr oedd i bob carreg ei lle. Y tyddynnod yn crymu ac yn disgyn, y ffermdai a'r beudai yn llawr maes. Diflannodd y cyfan, does yma ddim ar ôl, dim ond ôl troed mawr y tarw dur melyn. Mi ddaw rhyw hiraeth diarth a gwahanol, cofio am gartref Rheinallt yn *Gwen Tomos* – Daniel Owen:

> 'Yr wyf yn bur siŵr erbyn hyn mai fy mywyd yn y Penty oedd y cyfnod dedwyddaf ar fy oes, ac nid wyf yn disgwyl

Trwyn-y-Wyl

Porth Wnal

Trwyn-y-Galan

Cwt bâd achub

Po

Wylfa Ma

Porth-y-Galan

Galan-ddu

Tŷny Maes

y Lodge

Porth y Gwartheg

Odyn Galch

Skerries View

Porth-y-Pistyll

Cestyll

Bothy

Simdde-wen

Tai Hirion

Tan-yr-Allt

Bronnydd

Bryn Fferam

Firs Cottage

Lodge

Pennant

Firs

Clonmel

Tyddyn D

Rhwng dau fynydd

Pen-yr-allt

← i Caerdegog Isaf

Tyddyn Gele

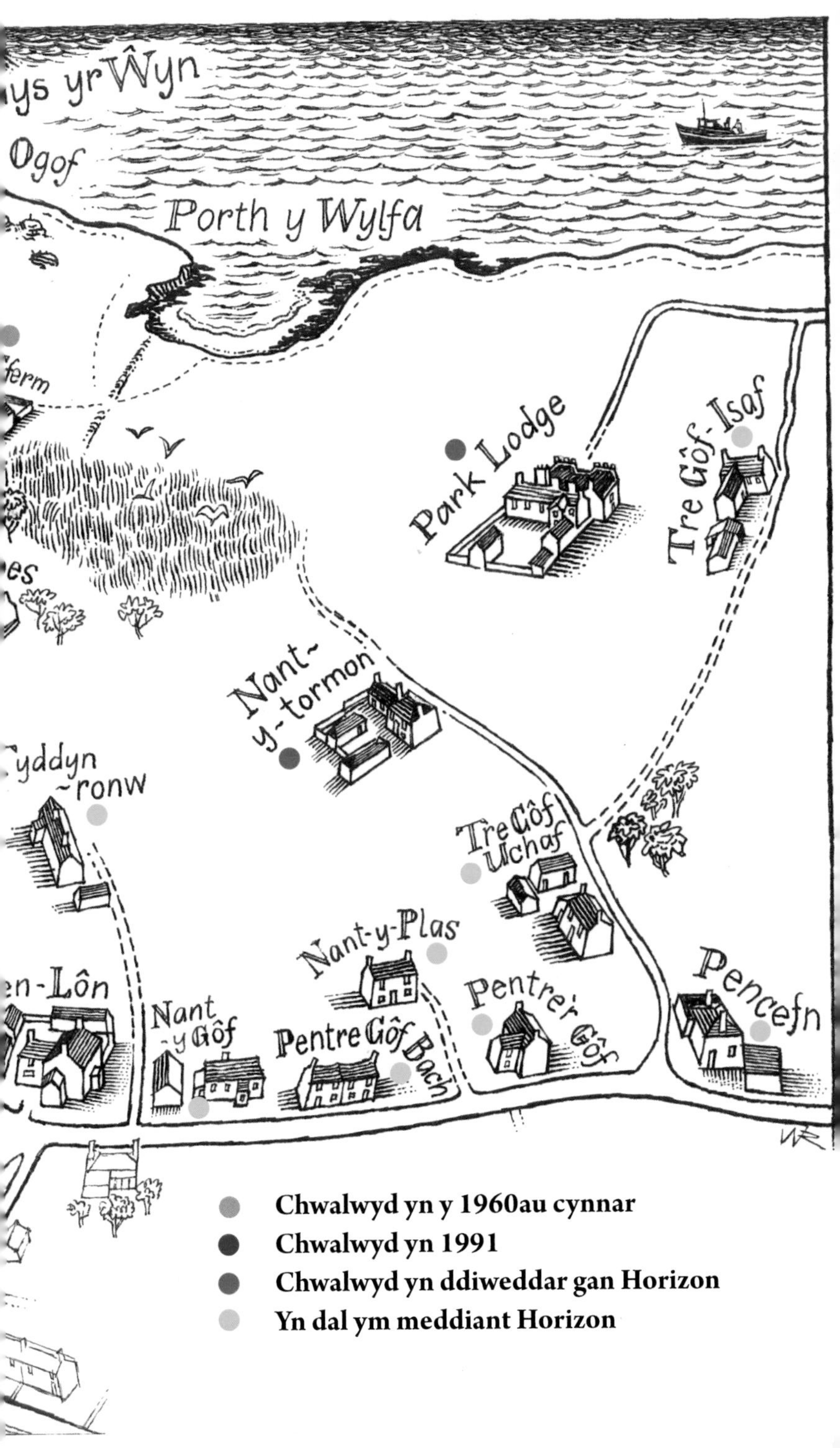
Ogof
Porth y Wylfa
Park Lodge
Tre Gôf-Isaf
Nant-y-tormon
Tre Gôf Uchaf
Nant-y-Plas
Pencefn
Pentre'r Gôf
Nant-y Gôf
Pentre Gôf Bach
Chwalwyd yn y 1960au cynnar
Chwalwyd yn 1991
Chwalwyd yn ddiweddar gan Horizon
Yn dal ym meddiant Horizon

gweld ei gyffelyb tu yma i'r bedd! Tŷ a siamber, gyda tho gwellt ydoedd yr hen Benty, ar fin y ffordd, ac yr oedd degau o adar to bob blwyddyn yn nythu dan ei fargod. Yn nhymor yr haf byddai ei ffrynt wedi ei guddio yn brydferth hefo *llaeth y gaseg (honeysuckles)* ac o bobtu'r pennor bychan oedd o flaen y drws, yr oedd dau bren bocs wedi tyfu i'w gilydd, ymffurfio yn bont drwchus, lle y magodd ambell ddryw bach ei gywion. Bechan oedd yr ardd oedd tu cefn i'r tŷ, ond yr oedd yn llygad yr haul, ac yn ffrwythlawn iawn wrth ystyried nad oedd neb yn ei thrin ond fy mam a minnau, ac na chaffai well gwrtaith na lludw a thail mochyn. Wrth edrych yn ôl, rhaid i mi gydnabod nad oedd gan fy mam chwaeth uchel at flodau, oblegid nid oedd yn yr ardd ond un pren rhosyn – rhosyn gwynion a hwnnw yn dechrau gwylltio, tipyn o Sweet William, ac ychydig fotymau efo'r llwybr. Mae yn wir fod yn yr ardd ychydig lafant a'r pren a elwir hen ŵr, a thoraeth o farigold. Yr oedd mam yn bur barchus o'r marigold, nid am eu bod yn brydferth, ond am eu bod yn bethau da mewn potes. Yr oedd tuedd fy mam yn fwy at lysiau megis y wermod wen a'r llwyd, llysiau Ifan, mint, term, ac yn enwedig garlleg, y rhai olaf, meddai hi, nad oedd curo arnynt am godi 'sbrydoedd isel. Llawer oedd y rhai a ddeuent at fy mam i fegio tipyn o arlleg i hon a hon oedd a'i 'sbrydoedd wedi mynd i lawr.'[1]

Yr ardd a oedd yn ddelwedd o'r prydferth ac yn cynrychioli cyfnod hapusa'i bywyd, rhyw ddiniweidrwydd braf, gardd lysiau oedd hi i gynnal mam a finnau. Ond dowch i ddiwedd y nofel:

---

[1] Daniel Owen, *Gwen Tomos*

> 'Yr oedd y Penty lle ym ganwyd wedi ei dynnu'i lawr ar ardd lle y bu Harri Tomas a minnau yn ymladd ceiliogod wedi ei gwneud yn rhan o'r cae cyfagos.'[2]

Dyma ddagrau pethau – *lle'm ganed wedi ei dynu'i lawr,* a'r llecyn prydferthaf, y Cwm Pennant arall – yr ardd a gynrychiola gyfnod hapusa bywyd, wedi mynd yn rhan o'r cae – 'does dim byd yn gysegredig', does dim gwahaniaeth rhwng yr ardd a'r cae.

Gwrando ar Gwenan Gibbard yn byseddu'r delyn mor gywrain a chanu cywydd *Bro* gan Ifan Prys:[3]

Bro

Enwyd pob rhan ohoni
Unwaith. Rhoi'n hiaith arni hi
Yn nôd. Enwi pob nodwedd.
Rhoi gair i bob cwr o'i gwedd.

Yn afon, ffynnon a phant,
Enwau i ffridd a cheunant,
Enwau i hen dyddynnod,
Enw i bob erw'n bod.

Ein hunaniaeth yw'n henwau
Yn hwyrddydd ein bröydd brau.
Mae synau i'n henwau ni,
Synau sy'n hanes inni,

---

[2] Daniel Owen, *Gwen Tomos*

[3] Cryno-ddisg: Gwenan Gibbard

Ein hunaniaeth yw'n henwau
Yn hwyrddydd ein bröydd brau.[4]

Mor wir am y fro hon yng nghylch y Wylfa yng Ngogledd Orllewin Môn – bro brydfertha Ynys Môn wedi'i hamddifadu o'i thyddynnod a'i ffermdai. Mae yna ryw swyn a chyfaredd yn eu henwau er colli'r cerrig. Does neb all ddileu yr enwau ac wrth bob enw mae yna gymeriadau, pobol a phlant. Aeth enwau'r tyddynnod a'r ffermydd yn gyfenwau i'r trigolion – *enwau'r hen dyddynnod.*

Nid rhyfedd y bu i ddifrodi a threisio ardaloedd a chynefinoedd o'u trigolion yn achos cynnwrf a phrotest gan bobol. Mae rhai achosion yn dal mor fyw: Capel Celyn yng Nghwm Tryweryn; hanner can mil o erwau Mynydd Epynt; Ysgol Fomio ym Mhenyberth yn Llŷn a cholli'r gymuned Gymraeg yn Llanwddyn. Mae'n wir mai ardal gymharol fechan yw'r Wylfa o'i chymharu â'r ardaloedd hyn ac eto fe *wnaed yr ardd yn rhan o'r cae cyfagos* yma hefyd, ond chododd neb ei lais er i gymuned fechan ddiflannu dros nos a'i diosg o'i thrigfannau. Tybed a gollasom ni syniad o wir werthoedd? 'Ceisiwn photographio'r trigolion a'u trigfannau', chwedl Daniel Owen, 'cyn iddynt fynd i ddifancoll.'

Beth am gychwyn ar ein taith o'r Gorllewin wrth sisial Afon Cafnan i gyfeiriad y Dwyrain a chroesi o Bentre'r Gof i gyfeiriad Tre Gof Isaf ar gwr y Penrhyn yng Nghemaes:

Pennant: Bynglo bychan ar fin y ffordd ar ben gallt wedi gadael Cafnan, braidd yn anghyffredin gweld bynglo yng nghefn gwlad a'i enw'n fwy anghyffredin – *'Pennant'* ar lan y môr! Fe'i

---

[4] Cwpled olaf cywydd Ifan Prys – diolch i Ifan am ei ganiatâd i'w gynnwys yma.

Pennant

hadeiladwyd yn 1939 ar gychwyn yr Ail Ryfel Byd. Bu i Gyngor Lerpwl rentu Cafnan dros dro i letya faciwîs o'r ddinas honno. Cartref dros dro oedd Pennant i deulu Cafnan i fod o fewn golwg a chyrraedd y fferm. Ond pam yr enw? – a dyna agor y drws i stori arall.

Mentrodd gŵr ifanc, John Cadwaladr Jones, dwy ar hugain oed o gyffiniau Cwm Pennant yn Eifionydd, yn denant ar fferm ddau gan acer ym mhlwyf Llanbadrig – Rhydygroes. Dipyn o fenter ei hun heb wraig na neb o'r teulu, i ardal gwbwl ddierth. Fe agorwyd y drws i Fôn yn lletach pan groesodd y trên y Fenai yn 1850 i Gaergybi ac yna y gangen o'r Gaerwen i Amlwch yn 1867. Yr oedd John Cadwaladr yn arloeswr pan ddaeth i Fôn yn 1874 ac fe'i dilynwyd gan sawl teulu o ffermwyr yn chwilio gwlad well! Bu'n ffarmwr gweithgar ac yn gymydog da yn ardal Rhosbeirio. Ymhen pymtheg mlynedd fe brynodd Cnwchdernog, fferm o dri chan erw ym mhlwyf Llanddeusant, cryn gamp i ŵr ifanc dan ddeugain oed. Yn ddiddorol iawn o Eifionydd y daeth William Pritchard yn Ymneilltuwr i Gnwchdernog dan erledigaeth. Erbyn troad y ganrif yr oedd John Cadwaladr yn gefn ffarmwr ac amser i gymdeithasu fel aelod yng Nghapel Elim, Llanddeusant ac yn aelod o'r Cyngor Sir ac yn Ustus Heddwch ar y fainc yn Llannerchymedd. Cafodd amser hefyd i chwilio am wraig a phriodi â Mary Jones, merch Plas Llanfihangel Tre'r Beirdd – achlysur a roes de parti i holl blant yr ardal. Ar doriad y Rhyfel Byd Cyntaf (1914) fe werthodd Cnwchdernog i'r Cyngor Sir i'w rhentu'n fân ddaliadau i roi cyfle i ffermwyr ifanc gychwyn ffermio. Symudodd John Cadwaladr unwaith eto i Gafnan ym mhlwyf Llanfechell. Bu ei gyfraniad i Gapel Bethesda, Cemaes fel blaenor diogel ei farn a gostyngedig ei ysbryd. Bu farw John Cadwaladr Jones ar ddechrau'r Ail Ryfel Byd. Dros dro fu hanes Pennant ar ben yr allt, ond fe erys y Cwm tecaf, *a bywyd hen fugail mor fyr*. Beth sydd yna mewn enw?

Tan-yr-Allt: Symudwn o ben yr allt i waelod yr allt, rhyw hanner can llath o Bennant. Mae yma lecyn tawel hyfryd yn sŵn afonig ar ei ffordd i Borth Pistyll gerllaw. Yn ôl Map y Degwm 1842 roedd ar y llecyn dyddyn bychan o'r enw Pen Pistyll, eiddo i Edward Williams, ac ef oedd berchen Tyddyn Iocyn, tyddyn bychan arall cysylltiol. Gresyn na fyddo'r enw **Tyddyn Iocyn** wedi'i gadw, hen enw Cymraeg yn golygu ocyn – *tro gyda'r og cyn hau,* gair a gollwyd gyda diflaniad y wedd. Ar Fap yr Ordnans 1889 mae tyddyn ac adeiladau fferm ar y safle gyda Richard Williams, Jane ei wraig a phedwar o blant yno yn ffermio. Go brin fod y tyddyn yn ddigon o faint i gynnal teulu o'r maint yna. Ond erbyn 1900 yn ôl Map Ordnans yr oedd y tyddyn bychan

Tan-yr-Allt

yn dŷ mawr wedi'i guddio tu ôl i wal uchel, yn nodweddiadol o'r cyfnod. Fel y cyfeiriwyd bu'n ffasiwn ar ddechrau'r bedwaredd ganrif ar bymtheg i gyfoethogion brynu tyddynnod a thai ffermydd a'i hadeiladu yn dai mawr gyda gerddi caerog. Yr oedd hyn yn wir am y Wylfa, Simdde-wen, Cestyll a'r Firs a dyna'n siŵr a ddigwyddodd yn hanes Tan-yr-Allt. Adeiladwyd ar safle Tyddyn Iocyn dŷ urddasol o gryn faint gyda rhes o adeiladau newydd, a'r tŷ o ddau uchder gyda ffenestri rhannol ddormer a ffenestri boliog ac yn nodweddiadol o'r cyfnod.

Ond pwy tybed a adeiladodd y Tan-yr-Allt mawr a hardd, y tŷ gydag wyth o lofftydd, mor wahanol i Dyddyn Iocyn? Erbyn Cyfrifiad 1911 yr oedd Margaret Williams, gweddw bum deg chwech oed a'i dwy ferch – Glenys ac Olwen yn byw yn Nhan-yr-Allt. Ganed Margaret y fam yng Nghemaes, fe aned y ddwy ferch yn Lerpwl ac fe aned Ann Davies y forwyn yn Sir

Ddinbych. Casglwn y bu i Margaret Powel y weddw adael Cemaes yn ferch ifanc i gael gwaith yn Lerpwl fel amryw eraill. Cyfarfu yno â'i phriod Owen Williams, Cymro Lerpwl a pherchen ffowndri Efydd. Mae pob lle i gredu eu bod yn deulu gweddol gefnog. Does ond dyfalu y bu farw Owen Williams yn ddyn cymharol ifanc ac y bu i'w weddw, Margaret Williams, benderfynu dod yn ôl i Gemaes â'i dwy ferch ac yn unol â ffasiwn yr oes, cael tŷ mawr a modern a dal i gadw Ann Davies y forwyn. Ar ddechrau'r Ail Ryfel y mae cyfrif fod y ddwy ferch, Glenys ac Olwen, yn byw yn Amlwch. Pwy tybed a fu'n gyfrifol o droi'r bwthyn yn blasty o dŷ tu ôl i'r waliau uchel?

Gwyddom erbyn pedwardegau'r ugeinfed ganrif fod yna ddau ddoctor yn Nhan-yr-Allt – tad a mab. Dr Roberts y tad yn feddyg teulu a'r mab yn Swyddog Iechyd i Gyngor Sir Môn. Ychydig o'u hanes sydd wybyddus.

Wedi gadael Tan-yr-Allt fe ddeuwn i fyny gallt eto ac i ben bryncyn, yno ar y chwith yr oedd tŷ o gryn faint mewn llecyn hynod ddymunol. Dyma'r tŷ diweddaraf, o'r holl dai a dynnwyd i lawr, mor ddiweddar â 1946 – dyma'r:

Bronnydd: Fe adeiladwyd Bronnydd ar safle tyddyn o'r enw Pen y Groes yn nodweddiadol eto o ffasiwn y cyfnod – codi tŷ modern ar safle bwthyn neu dyddyn. Yr oedd gan Arthur Venmore gysylltiad agos â'r ardal, yn ŵyr i David Hughes a adeiladodd y Wylfa Manor ac yn fab i James Venmore o'r cwmni enwog o werthwyr tai ac eiddo yn Lerpwl. Yr oedd Arthur yn aelod o'r Cwmni ond dewisai ddychwelyd i Gemaes ar benwythnosau. Fel ei daid, yr oedd yntau yn flaenor ym Methesda, Cemaes.

Yr oedd Arthur mewn mantais i adeiladu tŷ nodedig iawn

Bronnydd

â'i daid yn un o brif adeiladwyr Lerpwl. Fel y Wylfa Manor yr oedd golygfa banoramig o'r Bronnydd, golygfa o'r môr a'r tir. Yr oedd cryn dipyn o dir i ganlyn Pen y Groes a roddai breifatrwydd i'r tŷ newydd. Mae'n naturiol y byddo peth gorchest gan asiant gwerthu tai, wrth godi tŷ iddo'i hun! Mi ddewisodd y safle orau a'r defnyddiau gorau. Mi ddewisodd gerrig o chwarel leol, chwarel fach yng Nghaerdegog Isa led dau gae o'r safle. Mi fydde chwareli yn gysylltiedig ag amryw o'r ffermydd erstalwm, ac mi fynnai Arthur Venmore adeiladu ei dŷ â charreg leol ac nid rhyw flociau concrid diddychymyg. Bu Isaac Humphreys Pen-yr-allt yn chwarelu'n ddygn i gael y cerrig. Adeiladwyd tŷ sgwarog a'i hanner yn ddeulawr gyda tho slip a ffenestri dormer. Cafwyd cwmni arbennig o Fanceinion i doi y tŷ, gan gychwyn yn y brig gyda sglaits mân a rheini'n mynd yn frasach wrth nesu at y fargod. Fe gyfyd cyrn simddau talgryf o gonglau'r tŷ yn rhoi argraff wahanol. Mae'n wir fod tŷ o'r fath adeiladwaith yn ymddangos braidd allan o'i le ynghanol cefn gwlad noeth. Ond gresyn o'r mwyaf i neb feiddio tynnu i lawr y fath orchestwaith. Fe aeth y Bronnydd a Phen y Groes yn rhan o'r cae cyfagos.

'... ni ddaw eto i'w gartref, ac nid edwyn ei le mohono mwy.'

Llyfr Job 7:10.

Hanner can llath i lawr y bryncyn o Bronnydd fe welwn winllan o goed tal cysgodol a wal uchel yn ei chylchynu. Y mae rhodfa lydan yn arwain o'r ffordd fawr gyda dau gilbost cadarn fel pe'n gwarchod y lle – gwarchod tŷ mawr neu blasty bychan dyma'r:

Firs: Enw Saesneg yn awgrymu mai tŷ o'r bedwaredd ganrif ar bymtheg ydyw a diwedd y ganrif honno. Y mae'r Firs yn enghraifft fel tai mawr gorchestol. Mae'n wir fod yma fwthyn bychan i'r gogledd o'r tŷ, ond mae'n debygol yr adeiladwyd y Firs ar ei safle ei hun. Y mae'n dŷ deulawr uchel wedi ei doi â llechi, dichon iddo gael ei foderneiddio o'r ffurf wreiddiol. Fe saif y tŷ ar gryn fesur o dir coediog, coed sydd wedi'i guddio'n llwyr. Fe gysylltir enw doctor â'r Firs, ar lafar hyd heddiw – *doctor Plas Peel.* Mae'n gwbwl naturiol i'r bobl leol ei alw felly gan ei fod yn byw mewn tŷ mor fawr. Aeth rhai i gredu mai enw arall ar Firs oedd *Plas Peel,* ond enw'r doctor ydoedd. Peel!

Tybed ai teulu'r doctor a adeiladodd y Firs? Yr oedd ei fam Elizabeth Georgina Peel yn wraig 74 oed yn ôl Cyfrifiad 1911 ac yn weddw yn byw yn y Firs ac yn cadw morwyn. Tybed ai ei phriod a adeiladodd neu a foderneiddiodd y Firs? Mae'n amlwg eu bod yn deulu digon cyfforddus eu byw i anfon y mab i goleg meddygol a bod Georgina yn cadw morwyn.

Firs Cottage o dan Bronnydd

Mae'n amlwg fod doctor Peel yn dipyn o gymeriad ac fe erys sawl hanesyn diddorol amdano, yn arbennig o gofio nad oedd pawb yn gallu fforddio doctor yn y dyddiau rheini. Yr oedd doctor Peel yn barod iawn ei gyngor beth bynnag am gyffur i'r neb a alwai yn y Firs. William Jones Cas y Cloc oedd un o'r rheini a gariai raean a thywod o draeth Cemlyn efo'i drol a cheffyl. Yr oedd William Jones yn greadur hynod o bryderus o'i iechyd, mi fyddo'r peswch lleiaf yn arwydd o farwolaeth i William. Ar ei ffordd i Gemlyn byddai William Jones yn troi i mewn i'r Firs i ddweud ei gŵyn wrth y doctor a diolch fyth mi roedd o'n deall digon o Saesneg i wybod nad oedd o am farw'n fuan iawn! Chwarae teg i'r doctor dedfryd llawer gwell na photelaid o ffisig fyddai ganddo i bob William Jones!

Yr oedd mab Hugh a Sydney Williams yn bur wael, eu hunig blentyn Tom. Costied a gostio mi roedd raid cael doctor Plas

Peel draw i'w weld, doedd y Firs ond led dau gae o Gaerdegog Isaf. Yn rhyfedd iawn nid cyffur a roes y doctor ond cyngor a hwnnw'n hen ffasiwn iawn – *'rhowch golsyn poeth o'r tân mewn dŵr oer a rhowch ddiferion o'r dŵr hwnnw mewn llwy de i'r plentyn'.* Mi fendiodd Tom! Mi fyddai Sydney Williams Caerdegog Isaf yn rhyw hanner moesymgrymu pan glywai enw doctor Plas Peel fyth wedyn.

Hyd at chwedegau'r ganrif ddiwethaf yr oedd boneddwraig o'r enw Mrs Elworthy yn byw yn y Firs. Pur anaml y deuai i'r golwg, yno roedd hi yn ei phlasty yng nghysgod tywyll y coed. Yr oedd hi'n ferch dalentog iawn ac yn hynod o gerddorol a byddai amryw o blant a phobol ifanc yr ardal yn cael gwersi ar y piano ac mewn lleisio a chanu. Yr oedd Gordon Humphreys, Pen-yr-allt yn un o'i disgyblion disgleiriaf a bu iddo elwa'n fawr o'i gwersi; daeth yn aelod o grŵp poblogaidd yng Nghemaes.

Tyddyn Du a Pen y Groes Isaf: Fe saif Tyddyn Du a Phen y Groes Isaf ar gwr tiriogaeth y Firs. Yn ôl Map Arolwg 1889 Tyddyn Du fyddo enw un rhes o adeiladau a Phen y Groes Isa fyddo enw'r rhes arall yn ôl Map y Degwm. Mae'n debyg fod y ddau dyddyn yn rhannu rhyw ddeg acer ar hugain rhyngddynt. Erbyn pedwardegau'r ugeinfed ganrif yr oedd Owen a Kate Hughes yn byw yn Tyddyn Du ac yn ffermio tir y ddau dyddyn dichon. Yr oedd Tyddyn Du yn eiddo i Edmund Meyrick o stad Cefn Coch. Tua dechrau'r ugeinfed ganrif fe adeiladwyd tŷ fferm ddeulawr yn Nhyddyn Du ar batrwm dau dyddyn ar y terfyn – Rhwng Dau Fynydd a Phen-yr-allt. Fe addaswyd adeiladau Pen y Groes Isaf yn dŷ modern a'i enwi'n *Clonmel*. Pwy feiddiodd gyflawni'r fath drosedd â cholli'r enw Pen y Groes Isaf – enw a hanes y tu ôl iddo, a'i gyfnewid am *Clonmel*?

Yr oedd Owen Hughes yn dyddynnwr blaengar a gweithgar, gweithiai ei ddiwrnod gwaith ar y *ffordd fawr* ac wedi noswyl byddai'n ffermio. Dros y blynyddoedd fe bwrcasodd Owen Hughes sawl cae a elai ar y farchnad. Mae'n rhaid bod Kate Hughes ac yntau'n ddau ddarbodus iawn, wedi magu tuad o blant a llwyddo i brynu fferm o gan acer, Buarth y Foel ym mhlwyf Llanbadrig.

Byddai Owen Hughes yn cloi ei wythnos ar nos Sadwrn, mynd i lawr at ei gydnabod a'i gyfeillion yng Nghemaes a chael diferyn dros ei galon. Ond un nos Sadwrn, yr oedd Kate Hughes fel pe'n paratoi i droi allan, wedi ymbincio peth a rhoi ei het dydd Sul. 'Be sy'n bod?' meddai Owen Hughes, 'i ble rwyt ti am fynd?' Cafodd ateb gyda'r troad, 'Mi rydw'i am fynd efo ti heno, Wan.' Dyna'r nos Sadwrn olaf i Owen Hughes fynd i Gemaes ar nos Sadwrn! Gresyn – os oedd rhywun yn haeddu diferyn – Owen Hughes Tyddyn Du oedd hwnnw.

Rhwng Dau Fynydd: Dyma dyddyn o ddeugain erw, mesur y fferm deuluaidd yn y bedwaredd ganrif ar bymtheg. Fe saif led cae o'r ffordd fawr, dros y ffordd i'r fynedfa i'r Firs gyda ffordd drol o gerrig penna' cŵn. Yn ôl Map y Degwm yr oedd yn eiddo i stad y Brynddu, Llanfechell – William Bulkeley Hughes. Y mae'r tŷ fferm yn dŷ cymharol ddiweddar, tua chanol y 19g, yn ddeulawr gyda tho llechi. Mae'r adeiladau fferm gryn bellter i lawr i'r Gorllewin oddi wrth y tŷ ac yn llawer iawn hŷn na'r tŷ. Y mae ffurf a ffenestr un o'r beudai yn awgrymu mai yno, yn rhan o res yr adeiladau yr oedd y tŷ fferm gwreiddiol. Dichon i berchen newydd adeiladu'r tŷ fferm newydd mewn gwell safle ar godiad tir. Tybed ai'r perchennog newydd a newidiodd enw'r tyddyn o'r hen enw *Y Groes Fawr* i *Rhwng Dau Fynydd* – Mynydd

Rhwng Dau Fynydd

y Garn i'r Gorllewin a Mynydd y Wylfa i'r Dwyrain – enw digon diddychymyg! Ond pam gollwng yr enw Y Groes Fawr, enw llawer mwy arwyddocaol? Y mae pedwar tyddyn yn ffurfio petryal yn terfynu â'i gilydd gyda'r *Groes* yn ganolog i'r enw – Pen y Groes (Bronnydd), Pen y Groes Isaf, Y Groes Fawr (Rhwng y Ddau Fynydd) ac yna Y Groes Fechan a'i thir yn bron gyffwrdd tir Y Groes Fawr, a dyna gau y sgwâr. Beth tybed oedd arwyddocâd y pedair croes?

Ychydig a wyddom am y tenantiaid a fu yma, yn enwedig yn y blynyddoedd cynnar. Gwyddom fod un, Mary Griffith, yma'n ffermio ddechrau'r 19g dichon yn wraig weddw. Mi roedd hi'n ddigon cyffredin yn yr oes honno i ferched ffermio tyddynnod o gryn faint. Yna tua chanol tridegau'r ganrif fe ddaeth William Williams a'i wraig yma i ffermio. Ond mae'n debyg y bu cyfnod caled y tridegau yn rhy anodd a gadawsant yn 1938. Yna, yn yr un flwyddyn daeth Thomas a Mary Jones i Rhwng y Ddau Fynydd a dau blentyn – Evan a Catherine. Bu i Evan briodi Madge, merch Owen a Kate Hughes Tyddyn Du, Tros y Ffordd. Arhosodd Catherine Jones yn ddi-briod i ffermio'r pymtheg erw ar hugain yn ei dull arbennig ei hun.

Dyw'r hen ffordd drol, yn arwain i unman bellach, yma eto aeth yr ardd yn rhan o'r cae cyfagos.

Pen-yr-allt: Dyma dyddyn yn unol â'i enw ar ben yr allt yn edrych i lawr ar y *Dre* – Tregele, y pentre bach del filltir o Gemaes. Pen'rallt fel sawl tyddyn arall led dau gae o'r ffordd fawr a ffordd drol yn arwain ato. Er mai un erw ar bymtheg oedd ei faint yr oedd yn ddigon i gynnal teulu erstalwm. Fel Rhwng Dau Fynydd ar ei derfyn yr oedd y tŷ yn llawer diweddarach nag adeiladau'r fferm. Yn ddiddorol iawn fe elwid yr adeilad ar ben

Pen-yr-allt

y rhes o adeiladau yn hen dŷ a elwid yn **Tyddyn Fadog**, mae'n debyg y bu'r tyddyn yn perthyn i *Madog* yn yr hen oes, pwy bynnag oedd hwnnw!

Fe gysylltir enw cymeriad nodedig iawn â Pen-yr-allt. Thomas Jones, sef Tom Titanic, a'r *Titanic* a'i gwnaed mor nodedig. Mab i Griffith a Mary Jones oedd Thomas William Jones a aned yn Sea View, Cemaes yn 1822. Fu bywyd ddim yn garedig i Tom yn y blynyddoedd cyntaf. Treuliodd gyfnod yn y Wyrcws yn Llannerchymedd a thra yno syrthiodd mewn cariad â merch ifanc, hithau fel yntau yn cartrefu yn y Wyrcws. Aeth y garwriaeth mor glos fel y trefnodd y ddau i briodi. Ond, diolch byth fe ddeallodd Tom mewn pryd fod y ddarpar wraig mewn dyledion dros ei phen. Mi fyddo'n galed ar Tom ei chadw pe bae hi heb ddimai o ddyled i neb, ond dros ei phen mewn dyledion! Cymerodd Tom y goes a'i gwneud hi am Lerpwl ac fel ei dad yr oedd digon o halen yng ngwaed Tom iddo ymuno â chwmni'r White Star.

Tom oedd yn gyfrifol am Gwch Achub Rhif 8 ar y llong enwog *Titanic*. Ar Ebrill 15fed, 1912 fe suddodd y *Titanic* er pob proffwydoliaeth i'r gwrthwyneb. Gollyngwyd Cwch Achub Rhif 8 ac arni 33 o ferched a thri dyn dan ofal Thomas Jones o Dregele. Yr oedd erfyniadau'r trueiniaid yn y môr yn ddigon i wallgofi neb. Yr oedd Tom am fynnu troi'n ôl a chodi rhai ohonynt er bod y cwch yn llawn, ond y teithwyr yn y cwch a orfu yn mynnu mynd ymlaen. Yr oedd Lucy Noel Martha, Iarlles Rothes yn un o'r merched yn y cwch. Ymhen wyth awr fe'i hachubwyd o'r môr gan y *Carpathia*.

Wedi i Tom ddychwelyd adref wedi'r fath brofiad o golli'r *Titanic* a'r holl fywydau fe gynigiodd tad Iarlles Rothes dŷ a threfnu swydd barhaol iddo yn Nociau Lerpwl. Derbyniodd

Tom y cynnig a daeth Clara ei wraig (nid y ferch o Lannerchymedd!) i fyw yn Lerpwl. Rhoes yr Iarlles iddo wats arian gwerthfawr a gofynnodd iddo a oedd rhywbeth arall allai hi ei wneud iddo fel arwydd o'i diolchgarwch. Wedi meddwl ac ystyried mentrodd Tom ofyn, tybed a oedd modd cael lampau paraffin newydd i gapel bach Tregele lle'r oedd Peter Jones ei frawd yn swyddog. Fu hi erioed mor olau ym Methania na than lewyrch lampau'r Iarlles!

Mi fyddai ymweliadau Tom Titanic â Thregele yn bwysicach achlysur o lawer na noswyl y Nadolig pan ddeuai Santa, i'r plant. Fe gai'r plant bisyn chwech gwyn ganddo ac os oeddynt yn aelodau o'r teulu mewn unrhyw fodd fe gaent hanner coron, a dyna ffortiwn yn siŵr. Yr oedd Tregele fel ail gartref i Tom – galwai efo Peter ei frawd ac ym Mhen-yr-allt efo Elin ei chwaer. Yr oedd Elin yn briod ag Isaac Humphreys (1864–1950), yr oedd iddynt ddeg o feibion ac un ohonynt yn Isaac Humphreys eto a briododd â merch o'r Garreglefn – Grace, a ganwyd iddynt hwythau saith o blant – aelwyd lawn a hapus y cafodd Tom groeso cartrefol braf i'r diwedd ar ei dro ar aelwyd Pen-yr-allt a phob un o'r plant, y saith ohonynt yn ei gyfarch fel '*d'ewyrth Tom*'. Daeth 'Penrallt' yn gyfenw i bob un ohonynt. Er ei dynnu i lawr mi fydd yr enw yn dal ar lafar.

Pen-Lôn: Penlôn yn dyddyn a saif ar ben y lôn sy'n arwain i'r Wylfa. Yn ôl Map y Degwm 1842 yr oedd y tŷ gwreiddiol dros y ffordd mewn cae petryalog, ond bu peth newid wrth ledu'r ffordd er mwyn unioni'r tro. Casglwn wrth Gyfrifiad 1861 fod John Thomas a'i briod yma'n ffermio ac yn cadw gwas. Ychydig iawn a wyddom am John Thomas, fe symudodd o Frynllyn, Bodedern i Ben-Lôn tua 1855. Yr oedd iddynt ddau fab, Richard

Pen-Lôn

Llewelyn[5] a William, a gwnaethant enw iddynt eu hunain fel beirdd gwlad digon dygn. Bu'r ddau yn Ysgol y Pentref yng Nghemaes. Fe aeth Richard, y mab hynaf, ymlaen i Goleg y Normal ym Mangor i gymhwyso'i hun yn athro ysgol. Bu'n athro yn yr Adfa Sir Drefaldwyn; Llanddeusant Môn; Lanstan, Cernyw; a Llanegryn lle y bu farw'n ifanc ym Mawrth 1898 a'i gladdu ym Mynwent y Plwyf, Llanfechell. Gadawodd inni gyfrol o'i farddoniaeth yn 1875 – *Meillion Mai,*[6] yn cynnwys pryddestau a chaneuon difyr am ddigwyddiadau llon a lleddf. Yn eu plith y mae ganddo farwnad:

'Er serchog gof am y diweddar David Hughes Nant-y-Plas ger Cemaes a fu farw, Tachwedd 18fed 1876.'

---

[5] R. Mon Williams, *Enwogion Môn*

[6] R.L. Thomas, *Meillion Mai*

Nant-y-Plas

Onid dyma'r David Hughes a oedd yn dad i David Hughes a adeiladodd Wylfa Manor? Dyma bennill o'r farwnad:

Mawr fu'r galar yn Bethesda,
Ar ôl colli'n cyfaill cu,
Syllu ar ei hen eisteddfa
Nid oes yno ond lle bu;
Ai ti angau ar dy gylchdro
'Roddaist iddo farwol glwy?
A'i dy anfon wnawd i'w gyrchu
At y teulu dedwydd fry.

Fe'i cyfansoddwyd pan yn ddeunaw oed.

Yn ddiddorol iawn *Glan Wylfa* oedd enw barddol Richard Llewelyn, mae'n amlwg fod ganddo yntau gryn feddwl o'r llecyn prydferth – penrhyn Y Wylfa.

Yn anffodus ychydig a wyddom am William Thomas ei frawd a does gennym ddim o'i waith. Yr oedd yntau fel ei frawd hynaf yn barddoni dan yr enw barddol – *Cromlechydd*. Yr oedd yn gymeriad hoffus ac yn adroddwr da. Bu yn farchnatwr llechi i'r *Maenofferen Slate Company* yn Ffestiniog. Symudodd i fyw i Borthmadog ac ychydig cyn ei farw symudodd i fyw at ei chwaer yn Nhyddyn Main, Moelfre, bu farw ar Dachwedd 2il, 1911.[7]

Y mae pen y lôn i'r Wylfa yn ddigon moel a digroeso wedi dymchwel Pen-Lôn – Glan Wylfa.

Tyddyn Goronwy – Tyddyn-ronw:

Mae'r enw yma yn cyfeirio'n ôl i'r Canol Oesoedd pan oedd y tyddyn yma yn ffurfio daliad gyda *Gwyddelyn – Gwely Goronwy Wydde*l. Ystyr *gwely* yn y cyswllt yma yw – 'Uned neu berthnasau yn dal tir yn gyd eiddo, a'i adnabod wrth enw y perchennog cyntaf'. Mae'n debyg mai *Goronwy* oedd enw'r perchennog cyntaf yma. Ar farwolaeth y tad mi fyddid yn rhoi ei dir i'r meibion ac fe roed eu henwau ar bob rhan o'r tir a gaent – neu'r *gwely*.

Tyddyn o ddeng erw ar hugain yw Tyddyn-ronw ym mhlwyf Llanfechell. Yn ôl Map OS 1889 yr oedd yno dŷ a'i hanner yn ddeulawr yn un â'r beudai, hen batrwm tyddynnod erstalwm.

Cawn fod John Williams (1811–1829) a'i briod Ann yn ffermio yn Nhyddyn-ronw yng nghanol y bedwaredd ganrif ar bymtheg. Yr oedd iddynt bump o blant, Robert y mab ieuengaf

---

[7] R. Mon Williams, *Enwogion Môn*

Tyddyn-ronw

arhosodd adref i ffermio'r tyddyn ar ôl ei dad ac yn naturiol amdano ef y gwyddom fwyaf. Yr oedd Robert Williams (1847–1928) yn gymeriad arbennig iawn yn ddyn o gryn allu ac yn werinwr diwylliedig. Priododd â Jane Thomas o deulu'r Meddyg Esgyrn. Yr oedd ei thad yn feddyg ym Mangor a bu'n gweini ar drueiniaid y llongddrylliad y *Royal Charter* yn Hydref 1859 pryd y collwyd 459 o'r teithwyr.

Capel Bethesda, Cemaes a Chyfarfod Misol Môn a gafodd o ddoniau Robert Williams mewn cyngor ac mewn arweiniad. Nid rhyfedd i'w gyd-flaenoriaid ei anrhegu i ddangos gwerthfawrogiad yr eglwys o'i wasanaeth arbennig. Cyflwynwyd *Sbectol Aur* iddo fel anrheg, anrheg anghyffredin, fe glywsom am *wats aur* ond sbectol aur? Mi allwn yn hawdd ddychmygu'r achlysur o gyflwyno'r sbectol aur i Robert Williams. Rhydfab oedd un o'i gyd-flaenoriaid, hen fardd gwlad dygn a ganai i bob achlysur o bwys yng Nghemaes, a dyma destun wrth ei fodd, a dyna dri o'r penillion:

Ei gyd-swyddogion cu
Yng ngwaith yr eglwys hon,
Gofiasant am a fu,
A chariad yn eu bron;
A gwelsant oes fel haul ar fryn
Yr haeddu gwneuthur ohonynt hyn.

Ysbectol aur ddiwall
Gyflwynwyd am ei waith,
Nid am ei fod yn ddall
I bethau'r Deyrnas chwaith;
Help natur yw – a chymorth rhwydd
I wel'd ei frodyr yn y swydd.

Mae Williams yn haeddu hon,
Os haeddodd neb erioed;
Caiff bedwar llygad llon
Wrth lithro 'mlaen i oed;
Golygfa ydyw lawn o swyn,
Gwel'd aur ei frodyr ar ei drwyn.

Bu farw Robert Williams yn 1928; bu i ddau o'i feibion etifeddu ei ddawn a'i allu. Llanwodd Richard Williams ei sedd ym Methesda ac etifeddu dawn ei dad fel siaradwr cyhoeddus. Priododd ag Alice, merch y Brwynog, Llanddeusant a chartrefu ym Mhenlon. Etifeddodd William y mab ieuengaf allu creadigol ei dad, mae'n anodd meddwl am werinwr mwy diwylliedig na

William Thomas Williams. Ar ei briodas â Mary Thomas, Y Neuadd, Llanbadrig fe droes at yr Annibynwyr ym Methel, Cemaes. Er hyn fe eisteddodd Arholiad Sir y Methodistiaid yn 1925 yn 29 oed. Llyfr y Proffwyd Amos oedd y maes, (diolch i Robert ei fab am gadw papur yr arholiad). Dyma'r ail gwestiwn ar y rhestr:

> 2. Beth oedd sefyllfa'r genedl yn (i) yn wladwriaethol, (ii) yn gymdeithasol (iii) a chrefyddol yn amser y proffwyd?

Cwestiwn tebycach i Arholiad y B.D. na chwestiwn Arholiad Sir. William Thomas Williams o Bethel, Cemaes a enillodd y wobr gyntaf drwy'r Sir. Fe'i hanrhegwyd am ei gamp â chyfrol o'r *Peak's Commentary of the Bible* (1920); dyma'n siŵr oedd y safon mewn esboniaeth Feiblaidd yn nauddegau'r ganrif ddiwethaf. Nid rhyfedd i William Williams fod yn un o athrawon Ysgol Sul gorau Môn, ar ei ddosbarth o ferched ym Methel, Cemaes.

Pentre'r Gof: Yn y Canol Oesoedd yr oedd Pentre'r Gof, Tre Gof Uchaf a Gwyddelyn fel yr awgryma'r enwau yn ffurfio'n rhan o *bentref* yn perthyn i *Drefgordd* Cemais ym mhlwyf Llanbadrig.

Saif Pentre'r Gof ar ben yr allt sy'n edrych i lawr ar bentref Cemaes yn dŷ mawr urddasol, er yn eiddo bellach i Horizon nid yw wedi'i ddymchwel.

Mae'n debygol mai tŷ wedi'i ailadeiladu a'i addasu i gadw ymwelwyr yn 19g ydyw a chyda deng erw o dir. Mi roedd teulu John Williams yno er y 18g, yn deulu o Fethodistiaid selog iawn. Bu aelwyd Pentre'r Gof yn llety a chroeso i weinidogion yr enwad am flynyddoedd. Yr oedd John Williams yn un o hen flaenoriaid Capel Bethesda ac edrychid ar Mary ei briod fel *mam yr Israel*. Yr oedd iddynt chwech o blant a bu i'r tri ieuengaf fyw i oedran teg hyd at ddiwedd saithdegau'r ganrif ddiwethaf. Yr oedd Miss Catherine, fel ei gelwid, yn gymeriad nodedig iawn a siaradai Saesneg fel pe bae wedi'i magu yn Ne Lloegr ac nid ym mhen draw Sir Fôn er mai yn y Sir honno y bu hi byw ar hyd ei hoes. Ond pan fyddai raid iddi siarad Cymraeg, efo Tom ei brawd ac ychydig eraill, fe siaradai Gymraeg Sir Fôn cystal â neb. Ond i fod yn deg â Miss Catherine, mi fu hi am rai blynyddoedd yn foneddiges breswyl, neu yn iaith Miss Catherine – *Lady's Companion* ar aelwyd y Parch. John Williams, Brynsiencyn yn gwmni i'w briod. Byddai John Williams y pregethwr enwog ar ei deithiau pregethu yn gyson hyd a lled y wlad. Yno ar aelwyd Llwyn Idris ym Mrynsiencyn y dysgodd Miss Catherine foesgarwch cwbwl wahanol i'r rhelyw ohonom. Gresyn na fuaswn wedi rhoi ar gadw sawl hanesyn digon cyfrinachol a glywais ganddi, yn ei dyddiau olaf ym Mhentre'r Gof. Soniai am selebs y dydd a alwai yn Llwyn Idris a chofier ei bod hi yno yn ystod y Rhyfel Byd Cyntaf. Doedd gan ei meistres na hithau fawr o feddwl o un ymwelydd cyson, ddaru hi erioed ei enwi, dim ond rhoi winc a gwên arna i! Mi roedd eraill, ychydig is na'r angylion nad oedd ots gan Catherine Williams eu henwi a'u canmol neu eu condemnio yn ôl tas ei meistres.

Yr oedd Tom y mab ieuengaf heb fod yn hollol yr un fath â phawb arall, yn gymeriad hoffus uniaith Gymraeg. Un uchelgais a oedd gan Thomas mewn bywyd – cael bod yn bregethwr Methodist yn negau'r 20g pan oedd gan yr enwad hwnnw fel pob enwad arall ormod o bregethwyr yn barod. Er hynny, ymroes Tom i gael mynediad drwy borth cyfyng y Calfiniaid, ond methiant fu pob ymdrech. Fe roes y Wesleaid ambell gyfle i Tom lanw eu pulpud. Ar un achlysur yng Nghapel Bethania, Tregele aeth yn big ar Thomas, ar ôl dim ond deg munud fe ddarfyddodd defnyddio'r bregeth a Tom yn fud. Ond roedd ganddo ateb – dechreuodd ei chanu hi yn null yr hen bregethwyr – 'mae Thomas Charles – *wedi mynd*; John Williams Brynsiencyn, *wedi mynd*; Llewelyn Lloyd, *wedi mynd*, ac yna gyda chrac amlwg yn ei lais – *tydw inna ddim hanner da heno chwaith* – clod i'w Enw. Amen!

Wedi methu â chyrraedd y pulpud, ymroes Tom i gyrraedd y sêt fawr – cael ei godi'n flaenor. Bu yr un mor ymdrechgar yma eto yn holi'r aelodau'n barhaus – 'Wnewch chi fotio i mi fynd yn flaenor?' ac er i *bawb* addo, yn sedd y teulu y bu Thomas Williams. Wedi methu y pulpud a'r sêt fawr, mi ganfu Tom uchelgais arall – ceisio sicrhau y cai yr angladd mwyaf a welwyd yng Nghemaes. Chafodd neb drafferth addo bod yn ei angladd! Bu farw Thomas Williams, Pentre'r Gof ar Fai 22ain, 1979 yn 98 oed, yr olaf o un o hen deuluoedd Cemaes. Bu'r angladd, yn anffodus ar y diwrnod yr ailagorwyd pont Britannia ar ôl y tân. Yr oedd cyfle i'r cyhoedd gerdded dros y bont newydd – manteisiodd pobol Môn ac Arfon yn lluoedd i groesi'r Fenai ar droed. Ymunodd y rhelyw o bobol Cemaes â'r cerddwyr a'm gadael yn ceisio talu teyrnged i un a fethodd yn ei uchelgais olaf, ond un y bu i'w freuddwydion roi iddo flas ar fyw! Gyda marwolaeth Thomas Williams fe ddaeth llinach hen deulu Pentre'r Gof i ben.

Tre Gof Uchaf: Y mae'r enwau canoloesol Pentre'r Gof, Tre Gof, Tre Gof Isaf a Gwyddelyn yn cydio fel ystâd unigol yn 1678 pan ei henwir mewn gweithred yn nhrefgordd Clegyrog a Chaerdegog. Ar y pryd yr oedd y diriogaeth yma – o Wyddelyn

Tre Gof Uchaf a Nant-y-tormon

hyd Dre Gof Isaf yn eiddo i un o'r enw Thomas Griffith o Benbedw. Y cyswllt cyntaf â theulu'r Broadhead yw ewyllys William Broadhead 1755 a oedd yn byw yn Nhre Gof Uchaf. Fe enillodd y tiroedd drwy ei briodas â Catherine Williams Tre Gof Uchaf. Yn naturiol ei fab Richard Broadhead a etifeddodd diroedd y daliadau hyn – Tre Gof Uchaf, Tre Gof Isaf, Tormaen (Nant-y-tormon) a Gwyddelyn. Fe osododd Richard y tyddynnod hyn ar rent yn 1789. Yr oedd Richard Broadhead (1740–1816) yn briod â Martha Williams (1739–1811), merch y Parchedig Richard Williams, rheithor Llanfaethlu. Ganwyd iddynt wyth o blant, mae a wnelom ni â dwy o'r merched. Priododd Gwen (1774–1861) â Thomas Edward Fanning, Cyfreithiwr a ddaeth i fyw i Park Lodge, Llanbadrig. Priododd Elizabeth (1768-1828) y chwaer hynaf â'r Parch. John Elias (1774-1841) un o brif arweinwyr y Methodistiaid yng

Nghymru. Yr oedd Richard Broadhead, tad Elizabeth yn gymeriad amlwg yn y gymdeithas ac yn eglwyswr selog ef a'i deulu. Cymaint fu gwrthwynebiad Richard Broadhead a'r teulu i'r ferch feddwl am briodi Methodist, a hwnnw'n bregethwr mor amlwg, fel nad oedd gan Elizabeth ddewis ond gadael cartref neu adael John Elias, a gadael cartref fu ei dewis. Aeth i fyw dros dro at ei hewythr a'i modryb yn ymyl Llanfflewin, Mynydd Mechell. Bu i'r Methodistiaid hwythau roi prawf ar gariad Elizabeth at John Elias gan ei bygwth – 'Os y byddi di'n ymuno â'r Methodistiaid, chei di ddim gwisgo'r goler las yna.' Ond yr oedd Elizabeth Broadhead yn barod i dderbyn unrhyw amod er mwyn ennill John, yr oedd ei bersonoliaeth ddeniadol a chyfaredd ei bregethu wedi ennill Elizabeth yn llwyr a threuliodd weddill ei hoes fer i'w gynnal a'i gadw. Elizabeth Broadhead a fu'n gyfrifol y cafodd un o bregethwyr enwocaf Cymru pob rhyddid i grwydro'r wlad yn pregethu am arian bychan.

Yn 1799 bu raid i John Elias dalu hanner can punt i'w dad-yng-nghyfraith – cytundeb priodas ag Elizabeth Broadhead. Yr oedd y cytundeb yn delio efo'r trosglwyddiad ystâd bersonol John Elias.

Daeth trafferthion ariannol ar ddechrau'r 19g i ran teulu Tre Gof Uchaf. Yn 1801 yr oedd Richard Broadhead yn ymdrechu i werthu'r tiroedd er mwyn sicrhau arian parod. Y mae sawl dogfen yn cyfeirio at y broses gyfreithiol yma a adwaenir fel adferiad goddefol trwy ba un y trosglwyddwyd tiroedd y Brodiaid i Holland Griffith Y Garreg Lwyd. Dyma'r cyfnod dichon y cyfeiria John Elias ato yn ei Hunangofiant:

> Bûm y blynyddoedd cyntaf ar ôl priodi yn lled drallodus a

> phrofedigaethus o ran ein hamgylchiadau bydol. Bu fy meddwl mewn trallod mawr gan ofn na allem dalu i'n gofynwyr, ac felly y byddem yn euog o wneud anghyfiawnder â dynion.[8]

Oni chyflwynodd Cyfarfod Misol Môn yn Ionawr 1804 iddo dysteb o bron i £120.0.0 i'w gynorthwyo mewn amser anodd?

Bu i ddiwydrwydd Elizabeth yn y siop yn Llanfechell roi rhyddid i'w phriod bregethu'n gyson a rhoi addysg i'r ddau blentyn – John a Phoebe. Pan oedd John y mab ar fin darfod yn yr ysgol yng Nghaer cafodd apêl daer iddo ddychwelyd i Lanfechell. Yr oedd ei fam yn heneiddio ac yn gwaelu, ac ni allai John Elias feddwl amdani bellach yn sefyll drwy'r dydd yn y siop. Ufuddhaodd John a daeth adref yn help i'w fam. Ond bu farw Elizabeth ar Ebrill 28ain, 1828 yn drigain oed ac fe'i claddwyd ym Mynwent y Plwyf, Llanfechell.

Ymhen dwy flynedd, ar Chwefror 1830, priododd John Elias â Lady Bulkeley, geneth o deulu cyffredin o Aberffraw, ei henw morwynol oedd Ann Williams. Yr oedd Ann yn un o forwynion Plas Presaeddfed, Bodorgan a phan ymddeolodd ei meistr Syr John Bulkeley'r Ddronwy o'r llynges fe'i priododd hi yn Eglwys Dewi Sant yn Lerpwl, a hithau i feddiannu incwm o dri chant a hanner o bunnoedd y flwyddyn. Ond fu'r briodas ddim yn dderbyniol gan bawb, fe'i beirniadwyd yn ddirgel ac ar goedd. Ond fe gafodd John Elias ofal tyner a da yn ei flynyddoedd olaf yn y Fron, tŷ moethus ar gwr tref Llangefni. Bu farw yn 1841 a'i gladdu ym Mynwent Llanfaes, ger Biwmares ym Môn. Daeth gwacter i fywyd crefyddol Cymru o golli John Elias. Dyma un o'r angladdau mwyaf a welwyd ym Môn.

---

[8] G. Owen, *Cofiant John Elias*

Mary Broadhead, merch ieuengaf Richard a Martha Broadhead Tre Gof Uchaf, oedd y Brodiaid olaf yn y cartref. Bu Mary farw'n ddi-briod ar Fedi 20fed, 1860 yn 84 oed.

Erbyn diwedd y ganrif, yn ôl Cyfrifiad 1891 yr oedd un o'r enw Hugh Jones, cyn-brifathro ysgol a'i briod Jane yn cadw gwesty neu fath o lety yn Nhre Gof Uchaf gyda chymorth Ann Roberts y forwyn. Yn y Canol Oesoedd yr oedd Tre Gof mewn man manteisiol i gadw gwesty. Yn y Canol Oesoedd o fewn i Drefgordd Tre Gof yr oedd ffordd yn cysylltu Gwyddelyn, Tre Gof Uchaf, Tre Gof Isaf a Phenrhyn ac yn osgoi pentre Cemaes ac yn ffordd hwylus i deithwyr ar feirch.

Fe werthwyd Tre Gof Uchaf yn 1912 i Richard Hughes a adawodd Treriffri, fferm o gryn faint yn ardal Carmel, Llannerchymedd, ar gyngor ei feddyg i fyw yn nes i'r môr. Tre Gof, yn awel y môr, fu dewis Richard Hughes. Yr oedd pris tir ar ei uchaf y blynyddoedd cyn y Rhyfel Byd Cyntaf a thalodd gymaint â chwe mil o bunnau am Dre Gof. Cyfrifid Richard Hughes ymhlith ffermwyr gorau Môn. Bu'n denant yn fferm Plas Dulas cyn symud i Garmel. Yn Nulas y ganwyd eu mab cyntaf-anedig a chafodd y fonesig yn fam fedydd i'r plentyn – Richard. Cyflwynodd y Fonesig Neave gwpan fechan arian i'r plentyn i nodi'r achlysur, sy'n dal ym meddiant y teulu o hyd.

Collodd Richard ei dad a Mary Elizabeth ei fam yn agos at ei gilydd gan ei adael yn ddyn ifanc iawn 16 oed yng ngofal y fferm. Priododd Margaret ei chwaer â mab Nant-y-tormon – Capten John Williams ac yn ddiweddarach fe briododd Richard â Mair, merch Tŷ Mawr, Mynydd Mechell. Ganwyd iddynt dri o blant, Richard, John a Margaret. Rhywbryd yn ystod pumdegau'r ganrif ddiwethaf yr oedd Richard y mab a'i dad yn atgyweirio un o stafelloedd Tre Gof ac yn trin un o'r waliau tu fewn. Daethent o hyd i ddarn o bapur wedi'i blygu'n daclus yng nghrombil y wal ac wedi cadw'n rhyfeddol. O graffu, bil oedd y darn papur yn dyddio i'r flwyddyn 1818. Yn ddiddorol iawn dyma'r geiriau ar ben y papur, mewn llaw ysgrif:

Proprietor of Tre'r gof estate
Jo Rob. – Griffith

1818	£	s	d
August 7th Jo 6 glasses of Rum		3	0
" Jo Bread & Cheese		1	0
" Jo Hay for Horse			6
October 20 Jo 8 glasses of Rum		4	0
" Jo 1 pint of ale			4
" Jo Oats			6
" Jo Hay		1	0
	0	10	4

By Cash

Rob – Griffith

Beth ddywedai John Elias pe gwelai'r rhestr yna a'u bod yn gwerthu'r ddiod feddwol yn Nhre Gof a fu'n gartref iddo. Mae'n amlwg yn ôl y bil fod Tre Gof yn westy i fforddolion ar ddechrau'r ganrif fel ar ei dechrau. Mae'n amlwg fod Richard Broadhead a'i etifeddion, yn cynnwys John Elias ac Elizabeth ei wraig, wedi ildio'r tiroedd (ystâd) erbyn 1814 i'r ffermwr William Jones ac i saith o wŷr eraill o Fôn yn gyfnewid am flwydd-dal cyfreithiol.

Nant-y-tormon: Fe enwir *tyddyn y torman* yn nhrefgordd Caerdegog yn 1576 yn ôl LL.C. Bangor a Llysg. Llwydiarth Esgob (i). Cysylltir y lle gyda'r Wylfa yn 1661 – *tormain* ac eilwaith yn 1663 y *tormayn* yn Llwydiarth Esgob (iii) a (iv).[9] Y mae lleoliad y ddau le yn ansicr. Y mae Map y Degwm 1842 yn dangos yn eglur dyddyn ynghanol caeau Tre Gof Uchaf fel pe bae'n rhan o'r fferm honno ar un amser. Dyma'r cyfnod yr oedd yn eiddo i Ishmael Jones, mae ei arysgrifau a'r dyddiad 1843 yn amlwg ar adeilad tu ôl i'r tŷ. Y mae dull a ffasiwn y tŷ yn nodweddiadol o dai oes Victoria – tŷ mawr sgwarog. Y mae llawer mwy o ôl saer llongau nag o saer coed ar y tu fewn i'r tŷ. Y mae gardd o gryn faint yn gysylltiol â'r tŷ sydd yn nodweddiadol o dai o'r math yn y cyfnod yma.

Pwy tybed oedd Ishmael Jones a fu'n berchen Nant-y-tormon, a dichon a'i hailadeiladodd? Mae'n amlwg ei fod yn saer coed ac yn adeiladwr. Pan gyfarfu trigolion Cemaes yn 1828 i drafod adeiladu llithrfa i'r môr gan y bu cymaint â saith ar hugain o longddrylliadau hyd lannau'r Gogledd rhwng 1811 hyd 1827. Yn ddiddorol iawn gofynnwyd i Ishmael Jones fod yn gyfrifol am gynllunio ac adeiladu'r llithrfa. Ond yn anffodus bu'r ymateb i gefnogi'r fenter yn ariannol yn siomedig iawn a bu raid gohirio'r prosiect.

Yn ddiweddarach aeth Ishmael Jones ati i sefydlu busnes adeiladu llongau yng Nghemaes gan gyflogi cymaint â thrigain o ddynion. Mae'n rhaid ei fod yn ddyn pur gefnog gan iddo adeiladu llongau o gryn faint, i fyny at bedwar can tunnell o gargo. Pan lansiwyd un o'i longau – y *Mona's Isle* (130 tunnell) yn 1830, gwahoddwyd y Parchedig William Roberts, Amlwch i nodi'r achlysur gyda phregeth. (Beth oedd ei destun, tybed?)

---

[9] Dafydd Wyn William, *Trafodion* 2009

Mae'n amlwg fod lansio llong newydd yn achlysur o gryn bwys yng Nghemaes erstalwm ac y tyrrai llaweroedd yno. Bu Ishmael yn daer am gael gwell cyfleusterau i lansio'r llongau. Rai blynyddoedd yn ddiweddarach fe wariodd W. Bulkeley Hughes £800, i atgyweirio'r harbwr ac adeiladu llithrfa yng Nghemaes. O ganlyniad bu achos cyfreithiol diddorol ym Mrawdlys Caer ynglŷn â'i hawliau ar y traeth a'r lanfa yng Nghemaes. Erlynwyd ei denant William Jones am herio hawliau'r Goron mewn perthynas â'r traeth. Ond fe heriodd Bulkeley Hughes ar sail '*hawliau llongddrylliad a'r traeth*', a ganiatawyd gan y Brenin i hynafiad, Syr William Thomas yn 1609. Aeth llawer o'r plwyfolion i Gaer i dystio dros Bulkeley Hughes a bu'n llwyddiannus yn ei apêl. Fe'i dyrchafwyd yn *Arglwydd Cemaes* am ei ymdrech i sicrhau'r hawl. Deil rhai yng Nghemaes hyd heddiw i sôn am y fuddugoliaeth honno!

O ganlyniad i'r sgweiar ennill yr achos, cafwyd gwelliannau i'r harbwr a gwell glanfeydd. Yr oedd llawer o diroedd yn Llanbadrig yn eiddo i William Bulkeley Hughes – stad y Brynddu.

Mae'n naturiol y byddo Ishmael Jones a oedd yn cyflogi trigain o weithwyr ac y byddo ei longau newydd yn rhoi enw da a safle arbennig i Gemaes fel un o borthlannau bychan Ynys Môn. Gresyn i'r rheilffordd ddwyn eu busnes. Mae'n naturiol ddigon y byddo dyn busnes fel Ishmael Jones yn dewis tŷ ffasiynol yr oes, a heb os yr oedd Nant-y-tormon yn ateb y gofyn hwnnw.[10]

Ond, yr oedd un nodwedd wahanol i Nant-y-tormon, rhes o gilfachau gwenyn (*bee boles*) yn wal yr ardd. Cadwent y gwenyn mewn math o fasgedi o wellt i gartrefu'r gwenyn, wedi'i

---

[10] E.A.W. Williams, *The Day Before Yesterday*, t 150

gwneud yn gelfydd o raff wellt wedi ei thorchi ar ffurf basged yn mesur deuddeg modfedd ar draws a naw modfedd o uchder. Fe gofnoda William Bwcle'r Brynddu yn ei ddyddiadur am Ebrill 30ain, 1743 – *Paid George Hughes Tinker and sometimes a straw Joyner 2s for Bee Hives.* Yr oedd saer gwellt yn grefft arbenigol iawn yn plethu'r fasged a elwid yn *gawnen* (skop). Fyddo'r gawnen fyth yn ddigon cryf ac atebol i ddal yn y tywydd o wlaw a gwynt ac o'r herwydd fe'i gosodid yn y gilfach neu dwll yn y wal. Y mae pedair o'r cilfachau hyn yn y Brynddu yn wal yr ardd, yn mesur ugain modfedd o uchder, dwy fodfedd ar bymtheg ar draws ac un fodfedd ar hugain o ddyfnder. Mae'r cilfachau hyn yn reit anghyffredin yn Sir Fôn – ceir pedair yn y Brynddu, chwech yn Gwenithfryn, Llanfechell ond ceir cynifer â thair ar ddeg mewn cyflwr hynod o dda yn Nant-y-tormon – paham fod cymaint yno? Yr oedd mêl yn werthfawr i'r bonedd a'r werin, ond y bonedd a gadwai wenyn yn ddieithriad. Yr oedd siwgwr yn brin ac yn ddrud erstalwm ac o ganlyniad fe ddefnyddid mêl mewn sawl rysáit. Yr oedd y mêl yn feddyginiaeth werthfawr hefyd a chyn bwysiced â'r botel wisgi i'w gael at bob clwy'. Fe wneid gwin nodedig iawn a'r mêl – medd – tybed ai medd oedd y ddiod alcoholig gynharaf? Ond i'r bonedd yr oedd mêl yn hanfodol fel polish i gaboli ei sadleniaeth a'i dodrefn drudfawr – yr oedd cwyr gwenyn ym mhob plasty. Y mae'r ffaith fod tair cilfach ar ddeg yn Nant-y-tormon yn rhyfeddol o awgrymog. Tybed ai Ishmael Jones fel saer-llongau a fynnodd eu cael.

Fodd bynnag erbyn diwedd y bedwaredd ganrif ar bymtheg yr oedd newid byd, yn enwedig mewn trafnidiaeth ac aeth cargo'r llongau bach yn llwythi ar y cledrau ac ar loriau. Bu hyn yn gryn newid mewn pentrefi fel Cemaes wedi colli'r llong lo a'r llong ydau. Bellach yr oedd Richard Hughes a Margaret ei briod yn gwpwl canol oed yn ffermio yn Nant-y-tormon.

Park Lodge: Bu dymchwel Park Lodge yn golled amlwg iawn ar y tirlun i'r gogledd-orllewin o Gemaes. Yr oedd ei safiad castellog a oedd yn uwch na'r gorwel mor amlwg i bawb a bu'n dirnod gwerthfawr ar y tir ac i'r môr. Y mae'r enw Saesneg yn awgrymu ei adeiladu yn y bedwaredd ganrif ar bymtheg. Mae'n amlwg yr adeiladwyd y tŷ presennol mor ddiweddar â dechrau'r ugeinfed ganrif ar safle tŷ llawer llai. Yr oedd y tŷ diweddar yn dŷ mawr sgwarog gyda drws ffrynt ar y canol gyda grisiau cerrig yn arwain ato. Oddeutu'r drws y mae dwy ffenestr fawr fochiog mewn pyst hardd o gerrig. Rhydd y to fflat a'r canllawiau argraff o gastell i'r tŷ. Pwy tybed a adeiladodd dŷ mor anghyffredin ar safle mor amlwg?

Cysylltir enw Thomas Edward Fanning, bargyfreithiwr o'r Iwerddon, â'r lle mor gynnar â 1814 ynglŷn â chau a threfnu tiroedd Tre Gof Uchaf neu Gwyddelyn Fawr. Yn ôl Cyfrifiad 1841 a Map y Degwm 1942 yr oedd Thomas Fanning yn byw ym Mhark Lodge. Fe briododd â Gwen Broadhead, merch Richard Broadhead, Tre Gof Uchaf a chwaer Elizabeth, priod John Elias. Tybed a oedd Park Lodge yn etifeddiaeth Gwen? Priododd eu merch Mary ag Evan Evans, Mona Lodge, Amlwch a gododd i gryn enwogrwydd yn ei alwedigaeth fel goruchwyliwr y gwaith efydd ar Fynydd Parys. Yr oedd Evan yn ddyn galluog iawn ac fe'i cyfrifid yn un o ysgolheigion gorau'r Ynys. Yn ddiddorol iawn bu eu mab hwythau – Thomas Fanning Evans yn oruchwyliwr y llywodraeth ar amryw o fwynau Gogledd Cymru a rhannau o Loegr.

Mae'n amlwg fod Thomas Fanning a Gwen ei wraig yn byw

Park Lodge

yn Park Lodge ac yn ffermio'r deugain erw. Ganwyd Martha eu merch hynaf yn yr Iwerddon yn 1806, ond fe anwyd Eleanor ei chwaer yn Sir Fôn yn 1811 ac amlwg felly eu bod fel teulu ym Mhark Lodge cyn y flwyddyn honno. Cyflogent ddau lanc ifanc fel gweision ar y fferm, ac yn ddiddorol iawn yr oedd y ddau yn byw mewn llofft stabal a oedd yn rhan o adeiladau'r fferm, ond fe gyfaddaswyd yr adeiladau fferm yn lle byw ac fe gollwyd y ddwy lofft stabal! Mae'n naturiol fod raid cael dau was, gan fod Thomas Fanning yn tynnu am ei bedwar ugain oed erbyn canol pumdegau'r 19g. Yn rhyfedd iawn does gofnod o'i briod Gwen yng Nghyfrifiadau 1841 na 1851.

Yn 1861 bu farw Gwen yn 87 oed ac yn byw ar y pryd yn Rosemary Cottage ym Mhorthaethwy ac fe'i claddwyd yn Llandysilio.

Erbyn canol y bedwaredd ganrif ar bymtheg yr oedd Owen

Hugh Parry wedi symud i Park Lodge, ac wedi'i brynu, mae'n debyg. Yr oedd Owen yn dipyn o gymeriad, fe'i ganwyd yn Llanfechell yn 1824 ac yn ddiemwnt garw iawn, hoffai wlychu ei big yn sudd yr heidden ac arferai iaith rhy liwgar o lawer yng ngolwg *pobol dda y Llan*. Mewn llys yn Nhafarn y Valley fe'i cyhuddwyd o amheuaeth o botsio ac fe'i dedfrydwyd i ddirwy o bum punt a fforffedu'r gwn. Yr oedd i dalu'r ddirwy rhag blaen neu garchar o saith diwrnod o lafur caled yng ngharchar Biwmares. Mae'n amlwg i Owen Parry dalu'n ddiymdroi. Ond yr oedd yn gymeriad hoffus gan y rhelyw o bobl a chai ei adnabod â'r enw hoffus – *Parry Parc*. Cai ei edmygu a'i werthfawrogi am ei ddewrder fel capten bad achub Cemaes am flynyddoedd. Ond cyn dyfodiad y bad achub bu Parry Parc a'i feibion yn eu cwch enwog – *Mary* ar alwad y neb a fyddai mewn trafferthion ar y môr. Mae hanes amdano ef a'i feibion yn achub criw o long a ddrylliwyd ar *Faen y Bugail* yn yr union fan y suddodd y llong hwyliau *Alert* yn 1823 a cholli'r Capten a chant a deugain o'r teithwyr. Dyna ran beryclaf o'r môr o gylch yr Ynys. Fe'i hanrhydeddwyd ac fe'i gwobrwywyd am ei ddewrder neilltuol. Darllenai yn eang ac roedd yn gryn sgolor. Yn ddiddorol iawn, fe ddywedir fod gwraig y gweinidog Methodist yn un o'i gyfeillion a'i edmygwyr pennaf. Os oedd y *saint* yn credu fod Parry Parc tu hwnt i achubiaeth, fe welai amryw ynddo galon fawr garedig ac yn barotach na neb i gyfrannu at reidiau'r tlawd. Ac mi roedd yna dlodi mawr yn nyddiau Parry.

Mae yna hanesyn diddorol am weinidog Bethel, yr Annibynwyr yn pregethu ar ddameg y Samaritan Trugarog un bore Sul ac er mwyn egluro'i destun yn well fe soniodd am deulu bach tlawd o'r Penrhyn – (ardal fechan dros yr afon o Gemaes, ar bonc y môr) heb damaid o fwyd yn y tŷ. Er ei bod hi'n fore

Sul, doedd dim amdani ond troi allan i fegera. Bryd hynny yr oedd Person y Plwyf yn byw yn Nhre Gof Isaf ar bwys y Penrhyn. Beth oedd mor naturiol nag iddo alw yno, yn ei dyb y dyn duwiola yn y plwyf. Cafodd y fath flagârd am feiddio galw ar fore Sul o bob bore, ac i fegera! Ar ei ffordd adre'n ben isel, gwelodd y begar Parry'r Parc wrth fynediad Park Lodge ac eglurodd iddo'i siomiant. *Tyrd efo mi i'r Parc i weld beth sydd gan ferch y storws iti.* Merch y Storws – Mary oedd gwraig Parry Parc! Cafodd y truan ei wala a'i weddill o fara, tatws a llefrith gymaint a allai ei gario adref. Holodd y pregethwr – pwy o'r ddau oedd y Samaritan?

Yr oedd Mary, gwraig Capten Parry yn ferch rinweddol iawn yn llawn tosturi at y neb oedd mewn angen ac eisiau. Yr oedd Mary yn un o ferched Mr a Mrs Jones Roberts – *Storehouse* Farm Cemaes (Storws). Yr oedd chwech o blant yn y Storws, pump o ferched ac un mab, yr oeddynt yn blant hynod o ddisglair, wedi cael cyfleusterau addysg well na'r rhelyw. Wedi cychwyn yn ysgol yr hen soldiwr yn *Sgwâr Cemaes* yn nauddegau'r bedwaredd ganrif ar bymtheg. Yn ddiddorol iawn bu David Hughes Y Wylfa a'i frawd yn yr athrofa nodedig honno.

Fe briododd Elin, un o ferched y Storws, ag Owen Thomas Carrog a oedd yn ŵyr i'r Owen Thomas cyntaf. Ganwyd iddynt unarddeg o blant a thrwy ddygnwch Elin Thomas cawsant addysg dda i gyd. Bu farw Owen Thomas yn ddyn gweddol ifanc gan adael Elin Thomas ei briod yng ngofal fferm y Neuadd a magu llawer o'r plant. Yr oedd hi'n ferch hynod o ddeallus ym myd busnes a chai'r gorau o'r tir ac o'r gweision. Fu erioed garediced meistr i was nag Elin – talai gyflog o chweugain yn wythnosol iddynt ac ymorol y caent ddigon o fwyd i fynd adref i'w teuluoedd mawr.

Hannah oedd merch ieuengaf Carrog a hi ddilynodd ei mam yn y Neuadd. Yr oedd hithau, fel ei mam o'i blaen yn ferch hynod o ddeallus a medrus fel ffermferch a chai'r gair ei bod hi cystal os nad gwell nag unrhyw ffermwr yn y gymdogaeth. Yr oedd Hannah yn sefyll allan fel merch alluog ac ysgolheigaidd. Bu fyw i oedran teg dros ei phedwar ugain oed gan adael y Neuadd i ofal ei hunig blentyn – Mary Hannah a briododd fab Tyddyn-ronw – Williams Thomas Williams.

Merch y Storws oedd Mary hefyd, priod Capten Parry Park Lodge. Yr oedd Mary yn ferch addfwyn ac yn nodedig am ei charedigrwydd. Bu Parry'r Parc a Mary ei wraig yn nodedig am eu caredigrwydd tuag at yr anghenus a'r tlawd ac os byddai Parry yn troseddu'r saint o bryd i'w gilydd, mi wyddai Mary, yn well na neb, fod calon ei gŵr yn y lle iawn.

Ganwyd iddynt wyth o blant, pump o feibion a thair merch. William yr ail fab a etifeddodd nodweddion amlycaf ei dad gyda'r gair garwa' 'mlaen ond roedd yn gymydog da ac yn fedrus iawn fel peiriannydd. Priododd William â Mary Ann, merch Owen ac Elizabeth Williams y Bwlch o blwyf Llanfechell. Bu i'r teulu symud o fferm y Wylfa yn 1873 i'r Bwlch, pan oedd Mary Ann yn ddeunaw oed a William ei brawd yn bedair ar ddeg oed. Ar ei briodas bu i William Parry symud o Park Lodge i'r Bwlch lle y bu yn ffermio am flynyddoedd.[11]

Yn y flwyddyn 1888 bu trychineb enbyd ar y môr, collwyd William, mab y Bwlch a Hughes, mab Park Lodge pan suddodd eu cwch. Dyma fel y cofnodwyd yn *Y Genedl Gymreig* ar Orffennaf 11eg, 1888:

---

[11] E. Richards, *Bywyd Gŵr Bonheddig*

Ystorm ar dueddau Môn a dau ddyn wedi colli

Nos Fercher d'wethaf, Gorffennaf 4ydd aeth dau o ddynion ieuanc o'r enwau – Hugh Parry, Park Lodge, Cemaes a William Williams, Bwlch Farm, Llanfechell o Bull Bay ger Amlwch mewn cwch dan hwyliau gan fwriadu mynd i Gemaes dros y môr oddeutu pum milltir o fordaith. Yr oedd yn noson dawel o ran y gwynt gydag awel o'r Dwyrain. Fore Iau canfyddodd Richard Roberts, Point Lynas, Telegraph Station, gwch yn nofio a'i wyneb i waered. Aeth ef a thri o ddynion eraill mewn cwch i Bortheilian ar ei ôl a chael gafael ynddo, yn ôl tystiolaeth Mr Hughes Jones y Fagwyr (un o'r tri) oddeutu tair milltir i'r môr o Ynys Dulas heb neb ynddo, yr oedd yn ddianaf na dim arwydd fod llong wedi ei daro, yr oedd yn hollol gyfan. Mae'n amlwg mai boddi a wnaeth y dynion pan drodd y cwch. Aeth nifer o ddynion ddydd Iau yn y bywydfad o Bull Bay i chwilio am y cyrff, ond welwyd olwg ohonynt. Cydymdeimlad mawr â'r teulu yr oeddynt yn berthnasau i'w gilydd.

Ymhen dyddiau daeth corff Hugh i'r lan ar Ynys Manaw – fe'i hadnabyddid wrth ei lofnod ar ei hosan. Fe'i claddwyd ar Ynys Manaw. Mae'n debyg fod y ddau yn forwyr profiadol yn enwedig Hugh – yn fab i Capten Parry dewr a mentrus. Mi fu efo'i dad yn achub rhai ar y môr. Yr oedd hi'n noson dawel, ddistaw. Beth allasai fod yn achos i'r fath drasiedi?

Charles Parry, ei fab, a ddilynodd William Parry yn y Bwlch. Charles yn cario enw'i ewythr, mab Capten Parry a Mary. Yr oedd ef yn beiriannydd morwrol a fu farw yng Nghanada o ganlyniad i ddamwain ar long. Yr oedd yn briod â merch Penbol

Uchaf, Rhosybol. Charles Parry fu'r olaf o'r teulu i fyw a ffermio'r Bwlch, bu ef yno gydol ei oes, ef a'i briod Elizabeth, merch Parc Mawr, ger Amlwch. Yr oedd iddynt ddau fab, John a Charles. Bu Charles yn *Gatalogydd Llyfrau Prin* yn y Llyfrgell Genedlaethol hyd ei ymddeoliad yn ddiweddar. Y mae'n gof ganddo pan oedd yn blentyn, glywed sôn a siarad am drasiedi colli William, ewythr ei dad a Hugh, ewythr arall i'w dad. Mi allai ddychmygu fod Charles yn chwilfrydig a holgar. Dyfalu yr oedd y teulu, wedi'r holl flynyddoedd, beth oedd achos y fath anffawd; dau brofiadol yn boddi. Dyfalu yr oeddent tybed a fu i'r ddau ymhél â'r ddiod yn Bull Bay a chodi ffrae yn y cwch ac ymrafael â'i gilydd – beth oedd i'w ddisgwyl ond troi y cwch a boddi. Diolch am bobl chwilfrydig i gadw straeon yn fyw! Ond er pob dyfalu fe erys colli mab y Bwlch a mab Park Lodge yn ddirgelwch.

Bu farw Capten Owen Hugh Parry (Parry Parc) ar Hydref 30ain, 1904 yn 89 oed ac fe'i claddwyd ym Mynwent Llanbadrig. Bu farw Mary ei briod ar Ionawr 11eg, 1895. Yr oedd stad y Capten yn werth £2,388 a stad Mary yn werth £300.

John Parry, y mab ieuengaf, a'i dilynodd yn Park Lodge – yr oedd yn fachgen gwaraidd di-briod. Yr oedd yn hoff iawn o fiwsig ac yn meddu ar lais tenor gwych. John fu'r olaf o deulu'r Parry yn Park Lodge, mae'n debyg mai ef a werthodd y cartref i John Moir, dyn ifanc galluog ryfeddol. Yr oedd John yn feddyg, llawfeddyg a bargyfreithiwr, fu 'rioed y fath gyfuniad mewn un person. Yr oedd ganddo ef a Frances Moir ei briod ddwy forwyn at eu gwasanaeth. Yr oedd doctor Moir yn fawr ei barch yn y gymdeithas ac fe'i cyfrifid yn ddoctor rhyfeddol o dda. Cadwai syrjeri yn Liverpool House ar y stryd yng Nghemaes. Daeth plant y pentre i wybod os byddent wrth giât Park Lodge a'i hagor pan ddeuai'r doctor fe daflai chwe cheiniog iddynt am agor a chau'r llidiart mawr – arwydd o ŵr bonheddig! Fel doctor Plas Peel o'i flaen a adawodd enw ar ei ôl, wedi achub Tom Caerdegog Isaf, fe adawodd doctor Moir, yntau enw ar ei ôl. Yr oedd Ted, plentyn ieuengaf Yr Ardd, yn bur wael yn diodde' o'r niwmonia yn ôl dedfryd y doctor. Yr oedd safon ei gyffur yn uwch beth na doctor Plas Peel. Awgrymu diferyn o wisgi wnaeth doctor Moir a hynny yn 1934 ac mae Ted Huws yn dal yn fyw! Yn ystod y rhyfel (1939–45) doctor Moir oedd yn gyfrifol am fechgyn y lluoedd arfog a oedd wedi eu clwyfo ac yn cael cryfhau yn y Gadlys.

Diolch byth! – mae cerrig yn dal i lefaru er eu dadgysyllt, cerrig y castell gwyn ar y gorwel.

Tre Gof Isaf: Fe saif Tre Gof Isaf yn wastad â Park Lodge ar ffin eithaf tiriogaeth Wylfa Newydd i'r Gorllewin ar gwr Bae Cemaes. Fel y cyfeiriwyd eisoes at Dre Gof Isaf, mewn gweithred o'r ail ganrif ar bymtheg ynghyd â Tre Gof Uchaf a Gwyddelyn Fawr, yn ffurfio stad sengl. Daeth y stad yn eiddo i William Broadhead trwy ei briodas â Catherine Williams, Tre Gof Uchaf. Pan etifeddwyd y tiroedd gan fab William Broadhead, Richard, fe osodwyd y daliadau i denantiaid. Yn ôl Map y Degwm 1842 – *Chambers* – Cyfreithiwr o'r Iwerddon oedd berchen Tre Gof Isaf, tybed ai ef oedd priod Margaret Broadhead, merch i Richard Broadhead ac iddi etifeddu Tre Gof Isaf?

Erbyn canol y bedwaredd ganrif ar bymtheg yr oedd person plwyf Llanbadrig – Y Parchedig Evan Owen Hughes yn byw yn Nhre Gof Isaf yn ddyn ifanc 45 oed, ef a'i deulu, Charlotte a chwech o blant, dwy ferch a phedwar mab. Yn wahanol i'r rhelyw o blant y pentre, cai plant Tre Gof eu haddysg gartref. Cyfeirir atynt yng Nghyfrifiad 1891 fel *Scholars at home*. Tybed ai ysgol yr hen soldiwr ar y Sgwâr oedd y dewis arall? Fe droes honno ddisgyblion disglair iawn.

Mae'n amlwg fod teulu'r ficer yn byw yn foethus iawn, gyda nyrs i ofalu am y plant a dwy forwyn i weini ar y teulu yn y cartref. Cyflogid tri o weision ar y fferm – hwsmon, stablwr a gwas fferm ynghyd â llaethferch. Mi allwn feddwl fod yna le prysur iawn yn Nhre Gof Isaf yn y cyfnod hwnnw.

Ond, daeth teulu newydd eto i Dre Gof Isaf. Cyn diwedd y 19g daeth teulu o Lŷn i Fôn, i ffermio fferm Rhydygroes ym Mhlwyf Llanbadrig ac ardal Rhosbeirio – Gruffydd Roberts a Margaret ei wraig ag unarddeg o blant. Daethant fel Abraham gynt yn deulu mawr o ardal Llithfaen yn Llŷn o dyddyn o'r enw Tyn Rhos, fel yr awgryma'r enw rhostir digon gwael oedd y tir ar y gwastadedd rhwng Llithfaen a Phentreuchaf. Nid rhyfedd i Gruffydd Roberts geisio daear well i fagu unarddeg o blant, ym Môn. Cyn i wely John Cadwaladr, Rhydygroes oeri, fe ddaeth y teulu o Lŷn yn 1891. Yn oes y carnau a'r cledrau mi roedd hi'n gryn orchwyl i symud stoc, celfi a theulu ar daith o drigain milltir. Cerddwyd y stoc i Orsaf Pwllheli a'i gwneud hi am orsaf bach Rhosgoch ym mhen draw Sir Fôn. Mi allwn ni ddychmygu chwilfrydedd y plant ar y daith, hirfaith heb wybod i ba le yr elent. Gadael cysgod y mynyddoedd, y Garn a'r Eifl yn cau yn ofalus amdanynt, i wastadeddau Ynys Môn. Rhoddwyd celfi'r fferm a dodrefn y tŷ ar y troliau a cherdded yr holl ffordd i bellafoedd Môn. Cynyddodd y stoc yn fuan ar ddaear fras Rhydygroes, a chyn dim yr oedd y plant i gyd yn Fonwysion pur.

Deuddeg oed oedd Ellis, un o'r plant, pan ddaethent i Fôn ac yn fuan ac yntau fel y plant eraill wedi bachu cymheiriaid. Jennie, merch Cae Adda fu dewis Ellis Roberts a fu erioed bartneriaeth ddedwyddach. Bu iddynt briodi ar riniog tridegau llwm a thlawd yr ugeinfed ganrif a symud i fyw i Nant y Frân ym Mhlwyf Llanbadrig, fferm wleb ddigysgod. Y gaeaf cyntaf collwyd y defaid bob un i'r claf (brech y cŵn) difäol. Fu erioed gyfnod caletach, a bu raid symud i le llai, i Fryndansi yn ardal Llaneilian, cyn dod i Dre Gof Isaf yn 1935 – ac yno buont yn rhyfeddol o hapus weddill eu dyddiau.

Fu erioed aelwyd fwy croesawus na Thre Gof na bwrdd llawnach. Nid rhyw *gyp in hand* oedd hi yn Nhre Gof ond, *dowch at y bwrdd*. Mi fyddai'r postman yn gobeithio y byddai llythyr bob dydd i Dre Gof a rheswm da am hynny! Ganwyd iddynt bedwar o blant, tri mab ag Elizabeth y ferch. Yr oedd Harri yn bêl-droediwr da ac yn flaenllaw yn nhîm Cemaes. Ar un amser ar gae Tre Gof Isaf y chwaraeai tîm Cemaes, a dyna dynfa i'r pentre i gyd i Dre Gof!

Pa mor foethus bynnag oedd aelwyd Tre Gof Isaf yng nghyfnod y Parch Evan Hughes a Charlotte ei wraig, doedd hi ddim i'w chymharu ag aelwyd groesawus Jennie Roberts.

Ym mis Ionawr 2019 cyhoeddodd Horizon eu bod yn gohirio adeiladu Wylfa Newydd gan i Hitachi, y cwmni Siapaneaidd fethu â chael cytundeb am nawdd gan Lywodraeth Prydain dan Theresa May.

Beth bynnag a ddigwydd yn y dyfodol, y mae un peth yn eitha' siŵr, ddaw y bythynnod, tyddynnod a'r ffermdai a ddymchwelwyd fyth yn ôl!

Pennod 9

Tro ar Fyd

Terfynwyd y bennod flaenorol gyda datganiad reit syfrdanol Hitachi yn Ionawr 2019 eu bod yn gohirio adeiladu Wylfa Newydd dros dro oherwydd iddynt fethu sicrhau cytundeb am nawdd gan Lywodraeth Prydain. Ond roedd eu datganiad 16 Medi, 2020 yn fwy fyth o syndod i Fôn a thu hwnt, eu bod yn tynnu'n ôl eu bwriad i godi'r atomfa gan iddynt fethu â chael buddsoddiad i'r fath brosiect. Bu'r newydd yn siom enfawr ac yn bryder i obeithion llaweroedd, wrth gwrs.

Ond i berchnogion y tai a'r tyddynnod a ddymchwelwyd yn yr ardal, roedd y fath ddatganiad yn dristwch ac yn ddicter. Chwalwyd cartrefi cyn cael sicrwydd o fuddsoddiad na hawl cynllunio! Wedi'r fath, ddifrod doedd dim modd adfer yr un cartref.

Bu penderfyniad Hitachi yn anobaith a digalondid i nifer o fyfyrwyr yng Ngholeg Menai, Llangefni a oedd yn bwrw prentisiaeth mewn peirianwaith ar gyfer Wylfa Newydd. Chwalwyd eu gobeithion am swyddi o safon arbennig am oes. Roedd Coleg Menai a Grŵp Llandrillo Menai wedi hyfforddi oddeutu deg ar hugain o brentisiaid ar gyfer y cynllun gyda'r bwriad o recriwtio deg yn flynyddol hyd nes y byddai'r pwerdy newydd wedi'i adeiladu. Prif flaenoriaeth y Coleg yn dilyn y cyhoeddiad oedd sicrhau bod y brentisiaeth a oedd yn weithredol ar y pryd yn cael cyflogwyr newydd. Fe lwyddwyd i wneud hynny gyda chefnogaeth Horizon, gyda'r prentisiaid i gyd yn derbyn gwaith amgen, un ai gydag EDF, Doosan

Babcock neu Babcock. Ac ar waetha'r siom, mae yna etifeddiaeth yn dilyn y prosiect ar y campws yn Llangefni. Adeiladwyd y Ganolfan STeM, buddsoddiad o £15 miliwn i ddarparu adnoddau addas a phwrpasol i hyfforddi ac addysgu pobl ifanc gogledd Cymru mewn sgiliau peirianyddol – boed hynny'n beirianneg fodurol, trydanol, mecanyddol, awyryddol neu ynni cynaliadwy.

Mi fu'r newyddion yn gryn siomiant hefyd i Gyngor Sir Môn, gan fod llawer iawn o'u hwyau ym masged fawr y Wylfa Newydd. Dalient i obeithio y deuai ymwared o le arall ac y byddai rhywun yn barod i ddatblygu safle o'r maint yma. Ond beth bynnag a ddigwydd ar y safle yn y dyfodol, colli cartrefi a chymuned fechan fu'r colli terfynol a dirdynnol.

Plentyn wyth oed oedd Mared Evans, merch Richard a Llinos, pan gyhoeddwyd gyntaf fod Hitachi, y cwmni o Siapan, am adeiladu'r ail atomfa ar benrhyn y Wylfa. Bellach mae Mared ar ei blwyddyn olaf ym Mhrifysgol Aberystwyth yn astudio'r Gymraeg a Drama, ond fe ddeil i gofio'r profiad gofidus o golli cartref a gorfod symud o Pennant a hithau yn meddwl y byd ohono. Dyma hanes Mared:

Plentyn oedd Mared ond mae'n dal i gofio'n fyw iawn y pryder ac ofn y noson honno yr aeth gydfa'i rhieni i Ysgol Cemaes i weld planiau a mapiau ynglŷn ag adeiladu atomfa arall. Roedd y mapiau'n dynodi'r diriogaeth a brynwyd yn gyfrinachol ar gyfer yr atomfa. Er ei syndod a'i dychryn, sylwodd fod ei thŷ hi ar ganol tiriogaeth y Wylfa Newydd. Roedd rhyw storws anferth i'w hadeiladu yn union dros safle'r tŷ a'r cae cyfagos. Bu'r cyfan yn hunllef iddi. Roedd yn amlwg y byddai rhaid gadael y cartref. Wedi sawl cyfarfod gyda chynrychiolwyr EDF, fe werthwyd y tŷ yn 2008. Fe chwalwyd y cartrefi o dipyn i beth yn ystod 2009 a 2010 heb roi cyfle i neb rentu'r cartrefi yn ystod proses faith y cynllunio. Rhyw security issues oedd yr esgus. Wrth edrych yn ôl, sylweddola Mared nad y tai a'r tyddynnod yn unig a ddymchwelwyd ond fe chwalwyd cymuned fechan glos, Gymreig.

Mae ganddi atgofion melys iawn o sawl aelwyd gyda phlant yr un oedran â hi ac fel y cyfarfyddent yn nhai ei gilydd ac ar lan y môr yn yr haf. Cof da am ddiwrnod agored gerddi Cestyll a chael bws am ddim o'r gerddi i'r caffi ar safle'r Wylfa am ginio, neu ddilyn y llwybr i lan y môr gerllaw. Roedd diwrnod Carnifal Cemaes yn un o uchafbwyntiau'r flwyddyn iddynt – gorymdaith at y fflôt drwy bentre Cemaes i fiwsig Band Biwmares. Bob bore Sadwrn âi gyda'i mam i siopa yng Nghemaes – bara yn siop Williams, cig o siop Ffred a phapur a chandis o siop De Wolf. Bu i Gwen a hithau fanteisio ar yr ymwelwyr i werthu planhigion tomatos wrth giât y lôn.

Mae ardal Cemlyn yn gyfoethog mewn bywyd gwyllt, gyda'r cloddiau uchel yn noddfa ac yn fagwrfa i bob math o drychfilod a chryn ddewis o adar. Mae'r traethau creigiog yn lecynnau rhyfeddol.

Bu'r cyhoedd yn dawel iawn ac yn gyndyn iawn o sylweddoli gwir faint dylanwad y fath brosiect ar ardal fechan o gefn gwlad. Y brotest amlycaf fu'r un yn erbyn y peilonau uchel ar draws yr ynys.

Credai Mared y dylai'r cynghorau lleol, y Senedd a San Steffan wneud yn siŵr fod prosesau mewn lle cyn i gwmnïau byd eang fel EDF a Hitachi gymryd yn ganiataol y cânt ddifetha a chwalu cymunedau. Dylai pawb gael gwybod o'r cychwyn cyntaf beth yw'r bwriad terfynol ac nid rhyw drip feed cyfrinachol fel a ddigwyddodd.

Yn wyneb hyn, fe allech ddychmygu fel ei chythruddwyd o ddeall ganol mis Medi 2020 fod Horizon Nuclear Power yn tynnu'n ôl eu bwriad i adeiladu atomfa newydd. Wedi'r holl baratoi, y chwalu a'r difrodi, gadawyd yr ardal bron fel Capel Celyn – y pentref a foddwyd yng nghwm Tryweryn ym 1965.

Roedd ymateb Ted Huws yn ddigon tebyg i ymateb Mared i ddatganiad Hitachi. Mae Ted yn gyn-athro bywydeg yn Ysgol Gyfun Bodedern ac yn un a anwyd ac a fagwyd yng Nghemaes. Mae yntau bellach yn perthyn i'r genhedlaeth hŷn ond yn dal yn weithgar i'r gymuned a'r capel. Fe berthyn Ted i'r ychydig hynny sy'n dioddef o Gemaesitis ac a gred nad oes unman yn debyg i Gemaes! Beth tybed oedd ei ymateb ef i fwriad Hitachi?

Mae'n cofio'r plasdy, Wylfa Manor yn sefyll yn urddasol uwchben Porth y Wylfa ar arfordir Bae Cemaes a pholyn tal o flaen ffenestr fawr. Dyna'r olygfa a gaed o'r cwch wrth bysgota - polyn jac yr undeb. Tueddwyd i gadw draw o dir y Wylfa gan barchu rhyw breifatrwydd a berthynai i'r lle. Bu'n gryn syndod i ddeall fod y plasdy i'w ddymchwel ac atomfa i'w hadeiladu ar y tir – ac ni fu mwy ohono ynghyd â thai a thyddynnod cyfagos. Cofia'n dda y dwndwr yn yr ardal yn ystod adeilad'r atomfa gynta' – Wylfa A. Dyma gyfnod y Seisnigeiddio a'r newid di-droi'n ôl yn y pentref. Ond bu raid ceisio dod i delerau efo'r fath sefyllfa a chydlawenhau gyda'r teuluoedd a oedd yn ennill cyflogau da. Ac eto roedd llawer o hynafiaid y pentref yn edrych ymlaen at ddiwedd oes yr atomfa. Ac fe ddaeth ymhen hir a hwyr.

Ond ow! Daeth sôn am ryw Wylfa Newydd a fyddai'n llawer iawn mwy o faint na'r gyntaf ac a fyddai yn cyflogi mwy o weithwyr o lawer, rai miloedd. 'Dyma fanna o'r nefoedd i Fôn,' meddai rhai. Dyma ddechrau chwalu eilwaith o gylch y Wylfa, tŷ ar ôl tŷ a thyddyn ar ôl tyddyn yn cael eu dymchwel yn llawr maes. Ond trwy ryw ryfedd wyrth fe wrthododd Llywodraeth Cymru y cais i wastadu'r bryniau a'r cloddiau yng ngogledd Môn i'w adael yn anialwch gwyrdd di-glawdd a digoeden. Er bod y protestwyr ar ein hennill o beidio â chael Wylfa Newydd, roedd cymuned wedi'i cholli. Mae pawb yn golledwyr mewn gwirionedd.

Yn wahanol i Mared a Ted, mae'r cynghorydd lleol, Aled Morris Jones, yn obeithiol iawn am ddyfodol safle'r Wylfa Newydd er i Horizon dynnu allan o'i bwriad i adeiladu'r orsaf. Yn ôl y cynghorydd, bu'r prosiect o'r dechrau'n bartneriaeth rhwng y gymuned leol, y Cyngor Sir, Senedd Cymru a Llywodraeth y Deyrnas Unedig. Bellach mae'r ffocws ar Lywodraeth San Steffan i ddangos eu hymrwymiad i'r cynllun hwn ac i safle'r Wylfa. Mae Aled am inni gofio mai dyma'r safle mwyaf delfrydol ar gyfer gorsaf niwclear ym Mhrydain. Deil y cynghorydd y bydd raid inni fuddsoddi yn y datblygiad strategol yma ac mewn sicrwydd ynni – buddsoddiad yn ein dyfodol. Dyw'r cynghorydd, er dim, am i aberth y gymuned leol fynd yn ofer, nag i'r cyfle lithro'n gafael. Dyw'r stori ddim drosodd. Mae'r allwedd a'r pŵer yn llaw Llywodraeth San Steffan o hyd i ddatgloi'r sefyllfa.

Cefais ymateb dwy fyfyrwraig. Merch deunaw oed yw Siwan ac ar y pumed mis o weithio i'r cwmni. Daeth datganiad Horizon yn fath sioc iddi – chwalwyd ei byd. Ar ôl dim ond pum mis, roedd yn ddi-waith.

Mor drist, meddai, oedd gweld cymaint o bobl wedi gweithio mor galed i gael y prosiect i'r lefel arbennig cyn i'r gwaith ddod i ben. Fel prentis blwyddyn gyntaf gyda'r cwmni, yr oedd hi'n anodd bod yn optimistaidd am y dyfodol gan mai hwn, yn siŵr, oedd y cyfle gorau ar gyfer pobl ifanc yr ardal. Ond, diolch byth, yn y misoedd olaf o weithio i Horizon, rhoes y cwmni gymorth i'r prentisiaid gael cyfleoedd newydd a pharhau gyda'u gyrfaoedd. Mae Siwan yn dal i weithio ar ei phrentisiaeth ac yn dal i fawr obeithio y caiff yn y dyfodol weithio yn Wylfa Newydd!

Nodai Emily, myfyrwraig arall, mor drist a digalon oedd gweld cymaint o bobol a fu'n gweithio mor galed ar y prosiect am gynifer o flynyddoedd yn gorfod gadael. Ac eto, ar ddiwedd yr holl ymdrech, yr oedd rhyw wefr mewn gweld pobl yn ymroi eu gorau er mwyn gadael y prosiect yn y safle orau.

Er yr amrywiaeth yn ymatebion aelodau'r gymuned i fethiant Wylfa Newydd, yr un yw'r sioc sy'n llethu pawb. Yn enwedig y bobl hynny sy'n cael eu hatgoffa'n feunyddiol gan y dirwedd wahanol ac absenoldeb cartrefi cyfarwydd. Chwalwyd atgofion ac arwyddion bregus o berthynas pobol a'r tir. Drwy danseilio'r berthynas greiddiol hon rhwng cymdeithas a chynefin, yna fe amddifadir y gymuned honno a simsanir y tir dan draed ei thrigolion.

Dros ddeng mlynedd a rhagor, hoeliwyd gobeithion Môn ar ymyrraeth allanol, ar benderfyniadau cwmnïau grymus i ddatblygu'r ardal a'i hadnoddau i bwrpas elw. Mae'r grŵp Wylfa Ni, a sefydlwyd yn sgil y datganiad i beidio â bwrw ymlaen â'r Atomfa yn cynnig gwrthdroi'r sefyllfa hon drwy fynnu bod Hitachi'n dychwelyd y tir i'r gymuned ac i'r ynys benderfynu ar bennod nesaf hanes Penrhyn y Wylfa. Awgrymir cynlluniau'n seiliedig ar gynhyrchu ynni adnewyddadwy, gwarchodfeydd natur, amaeth cynaliadwy a threftadaeth.

Byddai rhai yn beirniadu gweledigaeth Wylfa Ni, gan nodi nad dyma'r math o ddatblygiadau fyddai'n dod â swyddi yn eu miloedd na chyflogau hael. Ond wrth ystyried siwrne ffigar-êt Wylfa Newydd o addewid ac yna siom, yn sicr, gallwn werthfawrogi hanfod rôl amlycach i'r gymuned wrth gynllunio a rheoli'r dyfodol.

Methiant economaidd fu Wylfa Newydd. Profodd y cynllun yn rhy ddrud, ac ni fu modd gwarantu digon o elw i wrthbwyso'r costau. I gymharu ag ynni adnewyddadwy, sy'n rhatach a glanach, mae ynni niwclear – technoleg eirias y chwedegau - bellach yn rhy gostus a hen-ffasiwn.

Daw tro ar bopeth. Ar flaenoriaethau a gobeithion, ac ar y dechnoleg a ddefnyddir i wireddu'r gobeithion hynny. Mae hanes Atomfa ar benrhyn y Wylfa yn darlunio'r elfen hon o hanes yr hanner can mlynedd ddiwethaf. Ond yn bwysicach na hynny – a mwy diddorol, yn fy marn i – mae'n darlunio pwysigrwydd y berthynas rhwng pobl a lle. Dyma'r stori oesol ac un, mi gredaf, sy'n werth oedi drosti a'i dathlu.